Riverains rêveurs du métro Bastille

DU MÊME AUTEUR

CHEZ LE MÊME ÉDITEUR

Rendez-vous au métro Saint-Paul, 1992

Nouveaux rendez-vous au métro Saint-Paul, 1994

Derniers rendez-vous au métro Saint-Paul, 1995

CHEZ D'AUTRES ÉDITEURS

L'Attraction du bal, Gallimard, 1987

Tango pour le 5e acte, Flammarion, 1996

Un slow des années cinquante, Le Castor Astral, 1999

Juste une petite valse, Le Castor Astral, 2000

Balades d'été, bals d'hiver, Le Castor Astral, 2001

Une rencontre près de l'Hôtel de Ville,
Mille et une nuits / Fayard, 2003

Une rencontre loin de l'Hôtel de Ville,
Mille et une nuits / Fayard, 2004

Cyrille Fleischman

Riverains rêveurs du métro Bastille

le dilettante
19, rue Racine
Paris 6[e]

ISBN 978-2-84263-138-3

À Danielle

Entre le cinéma Saint-Sabin et le cinéma Saint-Paul

Il y avait un cinéma, un cinéma seulement, que fréquentaient les Statisch (les Statisch de *Statisch, hommes et dames*, une boutique minuscule et invisible, située à un endroit où même une boutique grande et tout à fait visible n'aurait pas eu beaucoup de clients en ces années-là), il y avait un cinéma donc qu'ils fréquentaient : le Saint-Sabin, à côté de chez eux.

Pour Jacques Statisch toutes les autres salles de Paris manquaient de chaleur humaine. Ou bien, disait-il encore, ce qu'on y donnait *valait zéro question bon cinéma*.

Il ne voulait même pas marcher jusqu'au Lux-Bastille qui pourtant n'était pas loin.

D'ailleurs, il ne fréquentait pas non plus les salles du faubourg Saint-Antoine, ni celle au début du boulevard Richard-Lenoir qui toutes étaient proches. C'était dire qu'à une cousine de madame habitant près du grand cinéma Saint-Paul et qui leur proposait parfois de venir en famille rue Saint-Antoine, Jacques Statisch répondait en mettant son doigt sur le front, signe universel de la folie.

Le Saint-Sabin, encore une fois, était le seul cinéma qu'il voulait connaître à Paris.

Le Saint-Sabin, rien que le Saint-Sabin! Juste à côté.

Sa femme, elle, était attirée par l'inaccessible cinéma de la cousine. D'autant qu'il y avait là-bas des attractions avant le film.

Mais lui restait inébranlable, il était d'une fidélité exemplaire au Saint-Sabin. *Primo*, parce que la proximité de la petite salle lui interdisait d'aller ailleurs, *secundo* parce que c'était comme ça, et *tertio*, parce qu'il l'avait décidé.

Aussi, quand ce vendredi matin, sa femme lui annonça que demain soir, ils iraient peut-être, quand même, *pour une fois*, au cinéma Saint-Paul avec la cousine de la rue Saint-Antoine qui en avait fait une question d'honneur, Statisch commença par ne pas répondre.

Il balaya seulement de la main des poussières dans le rayon chaussettes qu'il inspectait, avant de se retourner pour taper sur le comptoir et dire : « Pas question ! »

– Pourquoi tu fais jamais rien pour me faire plaisir ? insista madame.

– Parce que demain, il y a un film qui m'intéresse au Saint-Sabin. Voilà pourquoi.

Il expliqua alors plutôt gentiment :

– J'ai vu les affiches, c'est une sorte de Tarzan, en mieux. Va avec ta cousine pleurer ou rigoler à l'autre bout de Paris si tu préfères, mais moi demain j'irai voir le film du Saint-Sabin.

Ce fut à ce moment qu'entra Alex Nachwelt qui approuva la phrase :

– Exactement ! En plus, c'est sûrement mon gendre qui travaille pour *ce film-là aussi*, allez-y de ma part en bonne santé !

Statisch fut surpris. Son voisin – un veuf qui s'occupait d'une maroquinerie avec une vendeuse à mi-temps et qui avait ainsi la possibilité de se promener –, son voisin d'à côté donc, venait parfois pour raconter pas grand-chose ; mais là, Statisch le prit au sérieux. Il abandonna les boîtes de chaussettes qu'il pensait répartir autrement et se dégagea du comptoir pour se rapprocher de Nachwelt.

– Qu'est-ce que vous avez dit, Alex, au sujet de votre gendre et du film du Saint-Sabin ?

Il se reprit, intéressé :

– Votre gendre, c'est un artiste ? Il joue quoi ? Un des explorateurs qu'on voit sur les photos dans le film de cette semaine ?

– Non, c'est un comptable avec diplôme, répondit Nachwelt avant de s'asseoir sur une des petites chaises près de la porte.

– Un comptable dans la jungle ?

– Mais non, il est comptable dans la société qui fabrique les bonbons que vous voyez dans la publicité à l'entracte, soupira Nachwelt. À quoi vous avez la tête, Jacques, aujourd'hui ? Bon, c'est pas tout ça, je venais vous demander un petit service.

Il ajouta, rigolard :

– On en parlera tout à l'heure. Pour le moment, je me repose chez vous une seconde, parce que j'en ai assez de me reposer chez moi. Je vous embête pas au moins ? Prenez votre temps. *Travaillez, travaillez*...

Déçu, Statisch repartit à ses rangements.

Alex Nachwelt, lui, ne disait plus rien. Il avait étendu ses jambes, méditatif. Au bout d'un moment, Statisch demanda sans se retourner :

– Quel genre de service vous vouliez exactement, Alex ?

Sa femme, de son côté, remarqua pour elle-même, à haute voix :

– De toute façon, aujourd'hui, qui n'a pas de soucis ?

Statisch se tourna pour lui jeter un regard pas content.

– Dites-moi Alex, insista-t-il en faisant quelques pas vers Nachwelt, dites-moi en quoi je peux vous aider ?

Nachwelt replia alors ses jambes sous la chaise et calmement se mit à expliquer :

– C'était justement à propos de mon gendre – celui qui travaille dans les bonbons – que je voulais vous poser une ou deux questions.

Il s'interrompit en jetant des regards autour de lui, comme s'il voulait être sûr que tout cela fût confidentiel.

– Voilà, poursuivit-il, lui et ma fille vont peut-être déménager bientôt pour venir à côté. Je leur ai trouvé un studio presque au-dessus de ma vitrine, et je voulais savoir : qu'est-ce que vous pensez du quartier *le soir*, vous qui habitez là ? Moi, je travaille ici, mais, pour habiter, vous savez bien que j'ai pris un logement vers la Nation, dans une rue avec des gens si bien élevés qu'on pourrait dire que c'est le VIIe arrondissement pour ministres et grande noblesse si c'était pas seulement le XIIe arrondissement. Bon, en résumé, je vous demande si, à votre avis, c'est bien ici, pour habiter ? Parlez-moi franchement, parce que j'ai encore la possibilité de leur trouver un bail ailleurs.

Statisch qui avait la tête au cinéma ne s'attendait pas à ce genre de question. Le doute sur le quartier évoqué par le maroquinier le prit à froid. Bien sûr qu'ici, entre, d'un côté le boulevard Richard-Lenoir et de l'autre côté, le boulevard Beaumarchais, c'était un endroit formidable ! D'abord parce que lui y avait fait sa vie ; ensuite, parce qu'un autre quartier ne pouvait rien avoir de mieux qu'un cinéma comme le Saint-Sabin où l'on ne jouait que des bons films.

Ce fut tout ce qu'il répondit, mais Nachwelt étendit de nouveau ses pieds, et revint à la charge :

– Vous savez, mon gendre, c'est un jeune. C'est pas la même génération que vous. Lui et ma fille, ils veulent pas se loger n'importe où, n'importe comment.

Statisch fronça les sourcils. En somme, c'était comme si le voisin était venu proclamer que lui et sa femme vivaient dans un désert.

– Votre gendre… votre gendre, il mérite peut-être même pas d'habiter ici ! répliqua-t-il, vexé.

– Pourquoi vous dites ça ? demanda Nachwelt en repliant ses pieds sous la chaise.

Statisch était gêné maintenant. Il avait trop réagi. Aussi, quitte à improviser, il improvisa philosophiquement :

– Je disais que… je disais que la plupart du temps, les gens méritaient pas d'habiter où ils étaient. C'est-à-dire qu'ils méritaient rien de spécial en somme, mais que, pourtant, la vie leur donnait ce qu'ils avaient pas mérité, parce que la vie c'était le destin… voilà ce que je disais à peu près. C'était pas contre votre gendre à bonbons de cinéma. C'était à propos du *destin en général*.

Mais du côté Nachwelt, les choses ne passèrent pas, car sur le terrain du *destin en général*, il était aussi fort que Statisch. Peut-être plus même, parce qu'il avait une vendeuse contre qui s'entraîner les jours où il ne venait pas faire la conversation ici. Il répliqua donc par un tir direct :

– Jacques, faites pas le ministre avec moi, quand je vous demande des choses précises ! Aujourd'hui, pour ma fille et mon gendre, le destin, il a deux noms qui sont dans l'annuaire officiel du téléphone. Et ces deux noms c'est : moi et le gérant qui va peut-être faire le bail ! Vous me raconterez les choses *en général* dans un autre discours. Je m'en vais. Portez-vous bien.

Nachwelt se leva de sa chaise. Il avait eu tort de venir poser des questions. Il irait demander simplement à la concierge ce qu'elle pensait du quartier, question bruits à la sortie du cinéma d'à côté, et aussi question possibilité de stationnement la nuit. Questions pratiques, en somme. Il s'apprêtait donc à repartir, quand Mme Statisch l'interpella :

– Faites pas attention à mon mari ! lança-t-elle. Il ne parle que de ce qui l'intéresse, et ce qui l'intéresse *seulement* dans la vie c'est le programme du cinéma d'à côté. Vous parlez d'un programme d'avenir ! Demandez-moi à moi plutôt pour ce que vous voulez savoir. De toute façon, vous pouvez dire à vos enfants que le quartier est très bien pour habiter.

Nachwelt se retourna pour approuver. Ça, c'était positif. Il attendit la suite, apaisé.

– Un quartier formidable, poursuivit-elle. Croyez-moi, c'est parfait. Qu'ils ne se fassent pas de soucis ! Vos enfants sont jeunes en plus, ils marchent mieux que nous, ils pourront aller sans problème rue Saint-Antoine au cinéma Saint-Paul où il y a de bonnes attractions avant le film. Ils seront pas obligés d'aller au Saint-Sabin d'à côté. Enfin, pas toutes les semaines.

Nachwelt secoua la tête. Décidément il n'aurait aucune réponse aux questions essentielles ici ! Il sortit sans même lâcher un au revoir.

La femme de Statisch en le regardant s'éloigner, soupira alors :

– On dirait que dans ce monde, les gens s'intéressent juste à *leurs* petits problèmes.

Aventure dans le IVe arrondissement

Au Lux-Bastille, le film que venaient de voir Boris et Odette Nachdem – une production en couleurs basée sur une aventure authentique dans des forêts et des savanes, avec, en alternance, des mers éternellement bleues –, ce film donc se terminait par quelques lignes retraçant le destin réel des personnages. On avait pu voir ainsi défiler, en noir brillant sur fond de parchemin beige rosé, les mentions finales :

« Le véritable Sergent Willy F. a fini sa vie dans son village natal de l'Ontario (Canada), toujours célibataire, mais entouré de l'affection des siens ;

– La véritable Barbara est décédée en mai 1953, après son retour à Milan (Italie) ;

– Le vaillant capitaine Yankel P., de la Brigade parisienne de la Jungle aéroportée a été, lui, mangé par erreur par un lion, suite à un incident au cours de son voyage de noces après son remariage avec la véritable Margarita… »

Enfin, le genre de précisions historiques qu'on pouvait trouver dans le générique d'une telle œuvre en Technicolor. Et Boris Nachdem était resté sous le charme, d'autant que la musique du film, avec les cent soixante-quinze violons et les trente pianos de l'orchestre hollywoodien, était formidable.

Il était ainsi heureux de sa soirée, à la différence de madame qui, elle, semblait n'avoir rien trouvé de spécial à cette histoire compliquée.

Elle venait même d'affirmer en traversant la place de la Bastille en direction de la rue Saint-Antoine, et donc du IVe arrondissement en face, que plus jamais – plus jamais ! – elle ne se fierait au goût de son mari. Ils auraient dû aller au cinéma Saint-Paul voir Michèle Morgan en noir et blanc, au lieu de ces idioties au Lux-Bastille.

Un film intelligent, triste, sentimental, profond, celui du cinéma Saint-Paul. Et il faudrait attendre maintenant jusqu'à dimanche prochain après-midi pour voir enfin quelque chose de bien. Quelque chose qui ferait oublier une vie déjà comme ci comme ça, en compagnie d'un homme qui préférait les films d'aventures aux vraies histoires d'amour.

Jusqu'à dimanche après-midi... avait-elle repris en soupirant.

Surpris, Nachdem s'était arrêté pour se tourner vers madame, en dépit de la circulation. Ne venait-il pas d'entendre «*dimanche après-midi?*», une erreur sans doute, car ce dimanche après-midi-là il avait autre chose à faire, elle savait bien!

Oui, et quoi? avait-elle demandé en le poussant vers le trottoir.

Quoi? Mais il lui avait dit cent fois, mille fois! Il avait rendez-vous avec son patron de province pour la nouvelle gamme de couleurs maison. À trois heures à la République, à l'Hôtel Moderne où le patron descendait toujours quand il était à Paris... Voilà.

Pas question! avait tranché Mme Nachdem au moment où ils arrivaient à l'angle de la rue Saint-Antoine. Pas question : dimanche à trois heures *on serait* déjà au cinéma depuis une demi-heure. Est-ce qu'il ne se souvenait pas qu'il avait promis – promis! – que pendant ce mois de janvier qui venait de commencer (le mois de son anniversaire à elle !) on irait deux fois par semaine voir un film : mercredi soir et dimanche après-midi ? Est-ce qu'il s'était trompé en promettant ou est-ce qu'on était à l'avant-veille d'un possible divorce ?

Là, il avait souri : elle exagérait…

Bon, il se rappelait très bien la promesse. Simplement, ce serait la semaine prochaine qu'on retournerait voir un film. Pas ce dimanche après-midi. Il y avait des choses plus importantes que pleurer ensemble au cinéma Saint-Paul, quand on était représentant d'une marque de pots de peinture et que le patron venait à Paris dimanche pour un après-midi de travail ! C'était logique à comprendre, non ?

Eh bien justement, Mme Nachdem n'avait pas envie de comprendre ! Et alors qu'ils marchaient plutôt tranquillement et qu'ils étaient déjà presque à la hauteur de la statue de Beaumarchais, elle lâcha le bras de son mari.

Il ne tenait pas promesse ? Alors qu'il se considère maintenant – à l'instant – comme en apprentissage de solitude avant divorce ! Qu'il marche seul. Elle n'avait plus rien à voir avec un homme sans parole ! Rien.

Elle hâta le pas.

Ses talons claquaient devant Nachdem qui accéléra lui aussi pour la rattraper dans la nuit. Mais au moment où il posa sa main sur le bras qui tenait le sac à main, elle se dégagea comme s'il s'était agi d'un pickpocket.

Nachdem était d'autant plus gêné qu'ils venaient de dépasser un autre couple du quartier qui lui aussi rentrait du Lux-Bastille.

Il ne manquait plus que ça ! Il ne manquait plus que les Klepenklepen ! Des Klepenklepen qui venaient de s'approcher de sa femme pour demander *comment* elle avait trouvé le film au Lux-Bastille.

Ils avaient tout vu de la scène de ménage, mais ils ne trouvaient pas mieux que de faire semblant de s'intéresser à un film fini depuis – Nachdem regarda sa montre – ... depuis quinze minutes. Bien plus, Klepenklepen tentait de s'adresser à lui maintenant. D'homme à homme. Pendant que Mme Klepenklepen s'était mise à papoter avec sa femme.

Et tout ça après onze heures du soir en plein hiver ! Alors qu'on n'avait qu'une envie : continuer à se disputer à la maison, au chaud, et sans les Klepenklepen.

Du coup, Nachdem se demanda comment

réagir. En guerrier, conclut-il. C'est-à-dire par une retraite organisée.

– Excusez-nous, trancha-t-il en agrippant le bras de sa femme. Excusez-nous, *on doit* rentrer.

Ce ton déplut à madame.

– Pas du tout. On a le temps. Qui nous attend ? Personne. Et alors, comment *vous*, vous avez trouvé le film au Lux-Bastille ? Bête, hein ? Pas comme celui qu'on va aller voir dimanche, avec mon mari, celui avec Michèle Morgan.

– Ah ça pour un film bête, c'était un film bête au Lux-Bastille ! approuva M. Klepenklepen. Je regrette d'être venu. C'est du temps de perdu ces histoires ! Tandis que – vous avez raison – un film profond, c'est quand même plus agréable, non ?

– Vous trouvez aussi ? triompha Mme Nachdem. Dites-le à mon mari !

Nachdem s'apprêtait à intervenir, à réagir, à défendre son point de vue, et il l'aurait fait avec conviction si – à ce moment – venu du haut de la rue Saint-Antoine, ce qui semblait être le fantôme du capitaine Yankel P. – celui du film précisément – n'était descendu en parachute.

La surprise fut totale et encore plus complète pour Nachdem que pour les autres, car lui, avait lu le générique en entier.

– Tiens, alors vous travaillez encore? hasarda-t-il. Ils se sont trompés à la fin du film, ils ont dit que vous étiez mort.

– Non, non, le rassura le capitaine qui fit deux pas de côté, en tirant sur son parachute qui traînait par terre. La vérité, sourit-il en arrêtant de tirer son parachute, la vérité c'est que je suis venu vous remercier, vous, monsieur Nachdem, parce que vous êtes la seule personne du quartier Bastille qui n'ait pas trouvé le film complètement idiot. À cause surtout de l'acteur qui me joue et qui n'aurait même pas pu faire de la figuration comme soldat de carton dans une vitrine de musée! Enfin, c'est la vie... Est-ce qu'on peut choisir les acteurs? Rien du tout! On donne un chèque à votre veuve pour la moitié de l'histoire de votre vie et «*kich mir*»... Mais merci, monsieur Nachdem, reprit-il en tirant de nouveau sur son parachute. Merci d'avoir aimé l'histoire de la moitié de ma vie.

Il devait estimer qu'il en avait assez dit, car il s'exclama soudain :

– Bon, excusez-moi, je peux pas rester longtemps. Ils veulent faire un autre film sur moi.

Et même avec le décalage horaire, il faut pas que je prenne du retard. J'ai des kilomètres à faire avec seulement un maillot de corps et un blouson sur le dos. Je vais attraper un rhume pas remboursé par l'assurance si je vais trop vite ! Mais j'étais content de vous voir, monsieur Nachdem. Vivent les hommes qui aiment l'aventure !

Le capitaine Yankel P. porta alors sa main à son front pour saluer Mme Nachdem et le couple Klepenklepen.

Puis il tira une dernière fois sur son parachute et le plia selon un ordre que lui seul comprenait, avant de le mettre sous son bras et de s'envoler sans plus dire un mot, en direction d'abord des hauteurs de la rue des Tournelles, puis, en rectifiant sa trajectoire, vers ailleurs, à l'ouest.

– Jamais vu ça dans le quartier ! s'étonna M. Klepenklepen en le suivant des yeux un moment. On dirait qu'il a une fusée dans le derrière, ce bonhomme !

– Rentrons, il est tard, se contenta de murmurer Mme Klepenklepen, inquiète.

– On rentre nous aussi, répéta Mme Nachdem, presque fière de son mari maintenant. Bonsoir.

– Bonsoir, bonsoir… répondirent les Klepen-klepen qui s'éloignèrent vite.

Seul, Nachdem resta quelques instants immobile avant que madame ne se décide à lui saisir le bras. Le ton s'était radouci, conciliateur :

– Allez, viens ! proposa-t-elle. Viens ! On va pas continuer à se geler sur ce trottoir, et pour dimanche, après tout, si tu dois travailler, on ira au cinéma une autre fois.

Nachdem suivit donc à petits pas. Sans plus vraiment écouter. De plus en plus rêveur. Lui *– personnellement, lui ! –*, songeait-il, lui aimerait toujours le Lux-Bastille ! Car *où* pouvait-on trouver des capitaines Yankel P. qui faisaient le déplacement pour tout arranger dans une famille ? *Même morts ! Même en dehors de la jungle ! Et même en dehors des heures de travail !*

Où pouvait-on attendre une fin heureuse, même quand on était terre à terre – comme disait madame –, mais qu'on aimait à sa façon – et comme tout le monde – les choses impossibles ?

Où ? Sinon sur le chemin du retour à la maison, en sortant d'un Lux-Bastille des années cinquante pourtant déjà promis à une future disparition.

Et aussi la dame du Lux-Bastille

Le jour où Karl Shifweg – le docteur Shifweg – avait quitté son domicile en 1956, il avait laissé un mot pour dire que son épouse lui manquerait à jamais, mais qu'il préférait quand même refaire sa vie avec quelqu'un d'autre.

Or en allant habiter le studio d'une très jeune femme de ses connaissances à Saint-Germain-des-Prés, ce fut non seulement la cuisine familiale qu'il eut à regretter, mais aussi de s'être mis en ménage avec un être moderne qui, en dehors de fumer des cigarettes devant un évier rempli de vaisselle à laver un jour, s'intéressait peu aux problèmes ménagers.

Et encore moins aux spécialités culinaires anciennes que Karl Shifweg avait aimées presque autant que les aventures sentimentales.

Il admit ainsi que si les amours tardives ne se réduisaient pas à des séjours folkloriques en cuisine, il avait quand même commis une erreur de parcours. Considérant pourtant qu'il avait connu pire dans sa vie, il assuma cette erreur.

Là-dessus, dans le courrier qui suivait vers ce qui était devenu son nouveau domicile, il reçut une invitation pour une série de conférences d'été sous l'égide d'une association d'aide aux réfugiés pour laquelle il œuvrait.

Les déplacements pour les conférences, lui fit-on valoir quand il demanda des précisions, les déplacements – surtout dans les villes du Midi que l'itinéraire du conférencier prévoyait –, ces déplacements excluaient la prise en charge par l'institution organisatrice de toute autre personne que l'orateur. On était désolé.

L'idée d'une séparation provisoire d'avec sa compagne d'alors s'imposa donc à Shifweg qui n'avait pas pensé offrir billets de train et séjour supplémentaire pour elle. Tout ça déplut à cette jeune femme qui se mit à le considérer comme un vieux radoteur, radin en plus. En tout cas, après une scène qu'il supporta sans répondre, elle le mit à la porte de son studio du VIe arrondissement. Purement et simplement à la porte.

Bonne idée ! pensa alors Shifweg en se demandant si, après tout, il ne pourrait pas penser faire retour au bouillon de la madame Shifweg d'origine.

Demander, il pouvait... répondit-elle en revenant au yiddish de leur jeunesse. *Il pouvait...*

Eh bien la réponse était : non.

Non, non, et non. Qu'il aille plutôt, de sa part, habiter sur la mer, à l'intérieur – avec ou sans maîtresse ! Pour s'y noyer. Définitivement.

Là-dessus, elle lui souhaitait tout le bonheur mérité.

Ce fut dit par téléphone et un début de divorce suivit, alors que, jusqu'ici, madame avait été plus que tolérante. L'âge sans doute.

Au total, Shifweg se vit ainsi devenir célibataire complet : sans femme, sans maîtresse, sans domicile et sans bouillon.

Il ne trouva refuge que dans un ancien atelier de casquettes qu'un de ses cousins lui sous-loua du côté du métro Bastille.

Shifweg avait gardé un regard vif dès qu'il s'agissait de jolies femmes, mais il avait dû se calmer sur l'insistance de son avocat. Et pour vaincre une solitude recommandée dans le cadre d'un divorce qui s'annonçait difficile, il s'était résolu à sortir seul. Le plus souvent pour aller au cinéma dans le quartier.

Là, un dimanche après-midi, au Lux-Bastille, son caractère liant reprit le dessus.

Il fit la connaissance à l'entracte d'une voisine de fauteuil juste un peu plus jeune que lui, et qui, apprit-il, était veuve depuis la guerre. Veuve et non remariée. Karl Shifweg reprit alors vite goût aux espoirs à partager, contre l'avis d'un avocat pessimiste.

En tout cas, lui et la dame du Lux-Bastille se revirent beaucoup après cet après-midi et, finalement, Karl Shifweg rendit les clés de l'atelier de son cousin pour aller habiter chez elle.

Il perdit ainsi toutes ses chances dans le divorce en cours, mais il trouva une sorte de sérénité en couple avec une femme qui appréciait elle aussi la cuisine traditionnelle.

Parallèlement, Shifweg continuait à travailler pour différentes œuvres où son dévouement était apprécié, tandis que ses tournées de conférences en province avaient d'excellents échos. C'était d'autant plus agréable pour lui que la dame du Lux-Bastille l'accompagnait souvent, et à ses frais à elle.

Certes, il y avait parfois des murmures de gens qui avaient connu son épouse légitime et se demandaient *qui* était celle qui l'attendait aux réunions, mais il n'en tenait pas compte.

Ainsi ce fut donc à un homme redevenu serein que sa femme téléphona un soir pour annoncer qu'elle avait décidé de *faire la paix* dans le divorce en cours.

Ce n'était pas, annonça-t-elle, à un âge où l'on devait commencer à penser à réserver une bonne place au cimetière de Bagneux plutôt qu'au théâtre rue de Lancry, qu'on allait continuer à se faire des bagarres comme des gens qui n'auraient pas vécu – si on pouvait appeler ça vivre – les années terribles, non ?

Qu'il vienne donc, ajouta-t-elle, présenter sa future nouvelle femme, vu que ce n'était pas la jeune avec qui il était parti à Saint-Germain-des-Prés, mais, semblait-il, quelqu'un du même monde que tout le monde.

Quelqu'un de normal à ce qu'*on* lui avait dit.

Qui *on* ? Tout le monde. Enfin, des amis communs qui étaient des relations de la dame en question.

Bon. Bien. Parfait.

Et à quand la rencontre ? Le dimanche suivant à partir de cinq heures à leur ancien domicile à eux deux. Cette fois Karl Shifweg ne demanda pas conseil à son avocat et il eut raison car la dame du Lux-Bastille se prit de sympathie pour la première madame Shifweg. Et réciproquement.

En parlant, elles avaient découvert qu'elles venaient de la même région de Pologne, que leurs villages de naissance en Galicie étaient à dix kilomètres l'un de l'autre, et qu'elles étaient des joueuses passionnées de rami. Ainsi, à la surprise de Shifweg, elles commencèrent à se voir également sans lui. En un mot, elles devinrent des amies.

Tout allait donc bien. Pourtant ce fut au cours de cette période que le docteur Shifweg vint à subir une sorte de douche froide. Un coup de tonnerre plutôt !

Au prochain bal, venait-on à l'instant de lui faire comprendre par téléphone, au prochain bal de la société à laquelle son interlocuteur et lui appartenaient, le docteur ne serait pas tellement *persona grata*. On aurait même souhaité, venait de bafouiller, gêné, le trésorier de la société qui appelait en même temps pour autre chose (une tentative de consultation par téléphone), on aurait préféré, semblait-il, ne pas trop le voir *cette année* au bal.

Première nouvelle !

Et pourquoi on ne voulait pas le voir au bal ? s'était-il offusqué.

C'est-à-dire, avait tenté d'expliquer le trésorier qui, pour avoir fait des études juridiques de comptabilité en latin et pas en yiddish normal, avait tendance à employer des mots compliqués, c'est-à-dire que le docteur était *persona non grata* parce que c'était un *veto* de Mme Tsilender, la femme du président.

« *Persona grata* », « *veto-schmeto* », et quoi encore ? avait bondi Shifweg. Est-ce qu'on pouvait avoir la raison de ces nouvelles folies ? Si *on* pouvait demander ?

Eh bien, c'était parce que le docteur ne donnait pas un bon exemple en étant un si grand coureur à son âge.

Quoi ? Moi, un coureur ? avait rugi Shifweg. Mais même sa propre femme était la meilleure copine de son actuelle amie ! Qu'est-ce qu'on pouvait ajouter de plus ? Que le président et madame étaient des détraqués de la tête ?

Oui, ça on pouvait le leur dire : c'étaient des dérangés à avoir des idées comme ça ! Le trésorier pouvait le répéter au président en personne et à sa femme, pour qu'*eux* ne viennent pas au bal. À *notre* bal. De toute façon, lui, Karl Shifweg, serait là, comme tous les ans !

Il raccrocha sèchement, car il avait son idée sur le véritable pourquoi de tout ça : l'année dernière, ou l'année d'avant, ou encore une année d'avant, il se souvenait d'avoir un peu flirté avec Mme Tsilender. Pas grand-chose – deux ou trois tangos serrés –, mais ça avait dû marquer la présidente. C'était de la jalousie de femme cette histoire, pas autre chose ! D'autant que Tsilender était, lui, un brave type qui jamais n'aurait pensé quelque chose de ce genre. C'était madame qui…

Bon, de toute façon, cette année *lui*, serait là comme d'habitude. Et avec sa nouvelle compagne, vu qu'ils étaient du même monde et qu'elle aimait elle aussi ce qui était traditionnel. Et bien sûr, sa femme – enfin son ancienne femme officielle – les accompagnerait. Pourquoi pas ? Elle venait depuis toujours au bal avec lui ! Pourquoi pas cette année ?

Ils seraient là *ensemble*.

Tous.

Aucun problème.

Mieux, on ne pouvait pas faire !

C'était ainsi qu'on était arrivé au dimanche du bal dans un grand hôtel du haut de la rue de Rivoli.

Un endroit chic où, sortant du taxi qui les avait amenés, le docteur Shifweg pénétra dans le hall avec à son bras droit l'ex-madame Shifweg officielle et à son bras gauche la dame du Lux-Bastille.

Lui, en smoking bleu pétrole. Les deux dames en robes longues un peu pareilles faites par la même couturière.

Tous superbes.

Tous ravis d'être là.

Et sur qui tombèrent-ils aussitôt, *avant* même d'entrer dans la salle ? Sur Martha Tsilender, la femme du président, qui guettait l'arrivée d'une de ses belles-sœurs dans le hall en marbre. Le moment était difficile car elle tourna la tête comme si elle ne les avait pas vus. Pas un mot, pas un bonsoir, rien. Shifweg ne se laissa pas décourager. Il fit deux pas vers elle :

– Comment ça va, Martha ? Vous connaissiez ma femme, est-ce que je peux vous présenter aussi Léa ?

Mme Tsilender grinça quelque chose d'inaudible, puis leur tourna le dos pour s'enfuir en direction, supposa Shifweg, de la salle de bal. En tout cas vers l'endroit d'où on entendait une sorte de rumba étouffée. Et là encore le docteur Shifweg ne se laissa pas démonter. Ses deux femmes à ses bras, d'un pas de sénateur, il avança à son tour à travers plusieurs halls vers la grande salle, là-bas.

Les bruits du bal, l'orchestre, tout ça, étaient de plus en plus audibles – et c'était bien une jolie rumba qu'on jouait, fit-il remarquer aux deux dames qui approuvèrent.

Ils étaient donc maintenant à deux mètres à peine de la salle, devant une petite table qui servait de caisse avec son tapis vert, et Karl Shifweg venait de ranger son portefeuille après avoir réglé les billets, quand Tsilender lui-même sortit à sa rencontre.

Le président avait l'air gêné, et Shifweg supposa que Martha Tsilender était venue annoncer leur arrivée. Shifweg prit aussitôt les devants, plutôt rigolard :

– Tu viens dire à la caisse, de la part de ta femme, qu'on me fasse une réduction, hein ?

Il était jovial et Tsilender ne sut quoi répondre. Il aurait visiblement préféré ne pas avoir été envoyé. Et pour dire quoi, au fait? Lui-même ne le savait pas trop. Aussi, il salua d'un signe de tête les deux dames avant de serrer la main du docteur. Il n'avait toujours pas trouvé la phrase qui convenait.

– On a beaucoup de monde au bal cette année, lança-t-il à la fin en soupirant. Et c'est tant mieux pour l'association, conclut-il en maudissant sa femme qui l'avait envoyé là.

La dame du Lux-Bastille eut alors le mot gentil qu'il fallait :

– Bravo ! Plus il y a de monde, mieux c'est. L'important c'est qu'on se voie, qu'on se retrouve avec tous les amis, non?

– Exactement, madame, approuva le président Tsilender. Du moment qu'on se retrouve…

Il fit un large geste du bras pour les inviter à entrer dans la salle :

– Faites comme chez vous !

Puis, galant, il prit le bras de la dame du Lux-Bastille pour lui expliquer à part :

– Et puis, est-ce que ça compte vraiment, de nos jours, qu'il y ait *une*, *deux*, ou même *trois* madame Shifweg? Pas du tout : le docteur rend tellement de services à tout le monde, que c'est toujours un plaisir de le revoir en famille.

Un conseil de Balzac

Ce n'était pas tout à fait un duo d'opéra, mais seulement un *duo de locataires*. Pourtant qu'est-ce qu'ils avaient comme talent pour enquiquiner le monde ! Comme de vrais artistes dans n'importe quel opéra ! Mais un opéra que Mendel Pantofl, le propriétaire, n'aurait jamais à écouter sur son pick-up puisqu'il l'avait en vrai.

Le duo en question était formé par Chil Hochimmer, divorcé (à ses torts) d'une femme gentille, et de Suzy Flintik, veuve (tout à fait veuve, et peut-être à ses torts aussi) d'un mari sympathique de son vivant.

En résumé, ces deux locataires-là étaient installés chacun dans un des logements du même palier, *sous* l'appartement du propriétaire, le pauvre Mendel Pantofl.

Et s'ils formaient un duo, c'était parce qu'on pouvait être sûr que vingt secondes après une plainte de l'une (ou de l'un), on aurait l'autre qui grimperait les escaliers pour contredire la première ou le premier.

Mais de quoi au juste se plaignait ce duo de fabricants d'ulcères à l'estomac ?

Mme Flintik ? *De quoi* se plaignait-elle par exemple ?

Eh bien elle, c'était généralement de la radio de M. Hochimmer ! Une radio à la puissance océanique à partir de huit heures du soir, et ça, dans un logement, avait ricané Suzy Flintik un jour où elle était de bonne humeur, dans un logement en ruine fabriqué avec des cloisons du Moyen Âge par une usine de récupération de papier à cigarettes de l'époque !

Bon, ça l'avait au moins fait rire, elle. Pas le propriétaire.

Et de quoi se plaignait Chil Hochimmer de son côté ? Lui, c'était simple : il se plaignait *de tout* !

Face à ces deux-là, Mendel Pantofl, un homme calme, pondéré, sans ambition (il était le seul vice-président d'une association où tout le monde était président à vie, c'était tout dire), Mendel Pantofl n'en pouvait plus.

Qu'est-ce qu'on voulait de ses pauvres jours? soupirait-il.

Aussi, au début, avait-il conseillé à l'un et à l'autre de s'adresser la parole pour régler les choses. Entre eux. Directement. Comme des êtres humains après tout.

Ça n'avait pas marché. Chil et Suzy, Suzy et Chil, étaient des gens qui n'avaient pas envie de renoncer au bonheur d'empoisonner un pauvre propriétaire en montant le prendre à témoin à tout bout de champ. Surtout d'ailleurs, vers dix heures et demie du soir, quand il était au lit.

*

Telle était donc la fatalité programmée dans l'immeuble de la rue Lesdiguières où vivaient Mendel Pantofl et ce qui restait de sa famille.

Une petite rue, la rue Lesdiguières, donnant rue Saint-Antoine d'une part et rue de la Cerisaie d'autre part. Une rue, avait observé le syndic de l'immeuble au cours d'une réunion de copropriétaires, une rue où avait habité – certes dans une mansarde et certes dans une autre maison de la rue –

l'écrivain Honoré de Balzac quand il était jeune, au XIXe siècle.

Pourquoi pas ? avait alors soupiré Mendel Pantofl. Ce Balzac-là avait surtout eu la chance de ne pas avoir un autre locataire qui écoutait trop la radio après huit heures du soir dans la mansarde voisine !

C'était la seule conclusion qu'on pouvait tirer de la remarque du syndic historien.

*

En ces années d'après-guerre, il y avait donc toujours, d'un côté, Mendel Pantofl, soixante-dix ans, sans beaucoup de famille de ce monde et tout à fait retraité maintenant. Et, de l'autre côté ou plutôt en dessous, on trouvait Chil Hochimmer, vendeur de chaussures le jour, cinquante-trois ans, ainsi que Suzy Flintik, représentante en quelque chose également le jour, quarante-quatre ans tout juste.

Le problème était donc le suivant : comment survivre en paix et en bonne santé avec des locataires pareils ?

Pantofl se posait la question.

Sans réponse. Ou au moins sans réponse jusqu'à ce lundi-là où il se rendit chez un ami dentiste un peu plus loin, du côté de la rue Saint-Antoine.

*

Il avait d'ailleurs hésité longtemps. Est-ce que cela valait la peine de retourner chez le dentiste ? s'était-il demandé. Est-ce que les pompes funèbres accorderaient un jour une ristourne à sa famille parce que son corps aurait des dents en bon état ? Sûrement, non. Mais il avait quand même pris rendez-vous.

Herschel K. était un ami avec qui il jouait aux cartes le dimanche, et ce serait une nouvelle occasion, cette fois en semaine, de discuter un peu avec quelqu'un d'intelligent.

Mendel Pantofl était donc là assis depuis dix minutes dans le salon d'attente, quand la bonne du dentiste fit entrer *quelqu'un*.

Quelqu'un de fort, de corpulent. Habillé comme il y a cent ans. Et ce quelqu'un, à la surprise de Mendel Pantofl, alla droit vers lui.

– Cher monsieur, *on* m'a saisi de votre problème, d'autant que j'ai très bien connu la rue Lesdiguières. Puis-je vous donner une consultation utile, à titre gracieux ?

Pantofl se leva, surpris et ravi.

– Vous venez me voir de la part de Herschel, c'est gentil. Vous êtes avocat ? Ou gérant peut-être ?

– Non, non, je ne suis qu'Honoré de Balzac, écrivain célèbre, répondit le visiteur, agacé. Alors, reprit-il plus gentiment, vous habitez *rue « de » Lesdiguières*, hein, pour lui restituer son nom exact ? À droite ou à gauche lorsque l'on vient de la rue Saint-Antoine ? Aucune importance ! J'étais presque un gamin à l'époque. Et tout a changé autour de la Bastille ! Bon, pour votre problème locatif, reportez-vous au titre VIII du Code civil, livre troisième ; titre VIII décrété le 7 mars 1804, promulgué le 17 du même mois par parenthèses. Voyez au chapitre II, section première…

Pantofl était abasourdi. Ce monsieur avait beau porter un habit qui sortait du théâtre du Châtelet ou du marché aux puces, il avait l'air de s'y connaître.

Peut-être trop après tout. D'ailleurs ne venait-il pas de dire :

– … Donc, revenons à votre affaire.

– On peut tout régler à l'amiable, protesta Mendel Pantofl : madame Flintik et monsieur Hochimmer sont seulement…

Le visiteur haussa les épaules.

– Ce que j'en disais, c'était seulement pour vous obliger puisque vous êtes un proche de mon ami et lecteur Herschel qui m'abrite dans sa bibliothèque et qui semble prendre vos problèmes à cœur. C'est uniquement dans cet esprit que j'interviens, croyez-le bien.

– Merci beaucoup, mais vous dérangez pas, c'est pas la peine, reprit Mendel Pantofl plus à l'aise maintenant. Donc, s'intéressa Pantofl, vous êtes monsieur Honoré, et, si j'ai bien compris, Herschel vous soigne peut-être aussi pour les dents si vous habitez dans sa bibliothèque ? C'est un très bon dentiste ! Et un vrai ami. Il vous a posé un bridge comme à moi ?

L'autre secoua la tête.

– Non, non. Vous savez, nous les écrivains du XIXe siècle, on ne peut pas se permettre de la prothèse tous les jours. Attendu que nous n'avons pas cotisé en notre temps, on n'est pas pris en charge par la Sécurité sociale !

– Vous perdez pas grand-chose, objecta Pantofl compréhensif. Question dents, *ils* remboursent rien, croyez-moi. *Même* avec la mutuelle.

– Si vous le dites ! soupira le visiteur. Passons. Où en étions-nous ? Oui, en matière de litiges locatifs, disons que j'excellais. J'adorais ça. Et pour en revenir au fait : si vous avez décidé de régler votre affaire sans l'avis d'un avoué, d'un huissier ou d'un écrivain, peut-être avez-vous finalement raison ! Je vous laisse… En tout cas, saluez votre rue de ma part. Pour moi, ce quartier reste ma deuxième vie, et j'y fais d'autant plus volontiers le fantôme ! Encore qu'à mi-temps. Car je dois écrire. Écrire toujours… Avec les charges qu'on a, même mort on a des dettes… En tout cas, lisez-moi : notre ami Herschel dispose dans sa bibliothèque de quantité de mes livres, et on me trouve aussi en édition de poche. Ça vous intéressera. Vous y retrouverez avec bonheur *votre* vieux quartier : rue de Normandie, rue Barbette, rue Payenne, rue Vieille-du-Temple, que sais-je ? Je dois admettre d'ailleurs que *le Marais* est beaucoup plus propre aujourd'hui qu'il n'était. Je dois l'admettre. Et cela, c'est un singulier progrès. *Comme* la Sécurité sociale ! Même si, d'après ce que vous m'avez dit, les choses sont à améliorer en matière de prothèses dentaires. Mais je m'égare encore. Je suis décidément trop loquace ce matin. Au revoir donc, cher monsieur…

– Pantofl Mendel, pour vous servir, monsieur Honoré.

– Au revoir, mon cher Mendel. Restez en bonne santé ! comme on dit, je crois, chez vous autres !

Le visiteur allait sortir du salon quand il fit deux pas en arrière.

– Finalement, vous avez raison, cher ami : trouvez donc une solution amiable avec vos locataires ! Ce sera beaucoup moins intéressant littérairement mais préférable, humainement s'entend !

Il leva les yeux au plafond comme s'il réfléchissait, avant de se frapper le front.

– Et mariez-les, par exemple ! Qu'ils soient heureux à leur façon ! C'est une fin d'histoire tout à fait adaptée à vous autres. C'est votre folklore. Un dénouement éloigné de ce que j'incline à préférer quant à moi, mais, poursuivit-il pensif, vous savez… vous savez… J'ai été injuste avec vous autres dans le passé, j'essaie de réparer. Depuis que je ne suis plus vivant, je me demande si vous n'avez pas raison de préférer les simples histoires, les simples allégories, les simples récits chaleureux où, toujours, une certaine forme de vie réparatrice reprend le dessus, sans aigreur…

La vie ! Oui, la formidable vie… Et ce, quels que fussent les ennuis subis – et même les horreurs… Je me demande de plus en plus si ce n'est pas vous qui avez raison de surmonter la noirceur du réel en donnant un bout d'espoir au monde… Je me le demande sincèrement.

Une amitié d'un autre monde

Une des premières choses qu'avait dites Yasha Fastenbelz à Boris Maazantov, un comptable, un mécène, un ami, quelqu'un qui s'intéressait au folklore, à la littérature, au théâtre, quelqu'un surtout qui l'avait gentiment orienté vers deux semaines de vacances dans une propriété mise à disposition par des relations à lui (des gens qui, eux aussi, aimaient les artistes, les écrivains, les journalistes...), les premières paroles au téléphone de Fastenbelz avaient donc été à sept heures vingt-cinq, le lundi matin du retour :

– Merci pour les moustiques, Boris ! Merci.

Il avait ajouté sans laisser à son possible interlocuteur le temps de placer un mot :

– Merci mille fois. Parce que si tu as entendu tes oreilles à toi siffler dans ton appartement métro Bastille pendant qu'on était là-bas, Boris, c'étaient pas les moustiques de tes amis qui te téléphonaient en direct pour te remercier ! Non, excuse-les ! Ces animaux-là étaient occupés avec nous, ils avaient pas le temps. Si tu as entendu tes oreilles un peu siffler, c'était parce qu'on t'a maudi soixante fois par nuit, Boris. Et ça pendant quinze nuits. On te maudissait, Betty et moi, exactement à chaque fois que ces bêtes-là arrivaient sur nous en escadrilles de *schnorrers* de chasse ! On t'a maudit de tout notre cœur, Boris ! Vraiment ! De tout notre cœur.

Il avait soupiré :

– … Tu sais : *le cœur…* ce qu'il y a sous la peau ! Là où on peut se faire des maladies rien qu'à cause de l'énervement, quand on vous envoie n'importe où.

– Yasha, tu exagères ! avait grogné Maazantov sur la défensive. Tu exagères ! Ça peut arriver. C'était sûrement à cause de la chaleur et du petit lac qu'il y a en bas de la maison. Et aussi, peut-être, parce que en août il n'y a pas les gens qui s'occupent de tout d'habitude. J'ai été invité là-bas moi-même, c'est pas un problème. Mais, changea-t-il de ton, tu as eu le calme pour travailler, pour réfléchir, non ? C'était magnifique, hein ?

– *Magnifique* ! avait enfin rigolé Fastenbelz. Magnifique pour les moustiques qui ont eu pension complète dix-huit étoiles Michelin avec nous sans défense dans le lit de tes amis.

Boris avait été soulagé d'entendre rire.

– Sérieusement, avait-il enchaîné, ça n'a pu que vous plaire à toi et à Betty. C'est splendide comme région, non ?

– Pour ceux qui peuvent dormir là-bas sûrement, avait admis Fastenbelz. Mais nous, avait-il repris, farouche, nous, on n'a pas fermé l'œil une nuit ! Enfin, on t'en veut plus maintenant que c'est fini ce cauchemar de maison dans une mare, dans un lac comme tu dis.

Bon, désolé… avait admis Boris. Et pourquoi, avait-il poursuivi, *pourquoi* exactement Yasha téléphonait-il si tôt ? Pour les clés ? Eh bien, elles pouvaient être déposées plus tard, vu que les amis, que les propriétaires, étaient encore en vacances ailleurs en ce mois d'août.

– Les clés pour nourrir les moustiques, tu veux dire ? avait rigolé de nouveau Fastenbelz. Toi et tes amis vous avez vraiment peur qu'ils meurent de faim la nuit sans personne dans la maison ? T'inquiète pas, on les rendra, les clés ! C'est pas pour ça que j'appelle avant huit heures : on a des amis ce soir pour manger. Et on se demandait si ça te ferait plaisir de passer à la maison. Mais *sans* ta nouvelle Magda, s'il te plaît. Elle énerve Betty.

Passe pour les premiers reproches, mais ça, c'était le genre de remarque que Maazantov ne pouvait admettre. Il s'était remarié il y avait quelques mois avec une fille bien, une fille sérieuse. Une fille de trente-neuf ans alors que lui en avait plus de soixante. Qu'y pouvait-il ? Il savait que Betty, la femme de Fastenbelz, n'aimait pas se retrouver en société avec quelqu'un de plus jeune, mais il y avait des limites à l'indulgence, à la compréhension !

Bien sûr, c'étaient des gens de sa génération. Des gens avec qui – avant d'être ce qu'il était devenu –, des gens avec qui il avait débuté en Pologne. À la fois, un peu au théâtre et dans la presse *des années*... Il préférait ne pas se rappeler de date. Il y avait si longtemps.

Des gens en tout cas dont il s'occupait aujourd'hui à Paris, comme il se serait occupé d'un frère ou d'une sœur, s'il avait eu encore un frère ou une sœur vivants. Pourtant, à l'instant, ils commençaient à plus que lui taper sur les nerfs ! Surtout Yasha qui aurait pu avoir au moins le tact de présenter les choses autrement. *Autrement* ! On ne lui demandait pas plus.

Que Betty fût jalouse de Magda, c'était compréhensible. Mais que lui, Yasha, ce vieux copain, ce cher Yasha, que Yasha en personne lui demande, sans même chercher un prétexte, de venir *seul*, comme ça… Non ! Et encore plus, après ce séjour dans un endroit magnifique. Un séjour, grâce à qui ? Il aurait mieux fait de s'abstenir… Il n'avait pas résisté à une possible bonne action, il avait eu tort.

Bon, ce n'était pas la peine de s'énerver ! De toute façon, lui, Boris, ne passerait pas chez eux ce soir. D'autant, venait-il de réfléchir, d'autant que ça n'était peut-être pas si neutre ce coup de téléphone du matin.

Il constata qu'il ne s'était pas trompé. On venait de se racler la gorge au bout du fil pour lui proposer de passer – *avant* – chercher quelques tranches de *pickelfleisch* et un peu de saucisson. Au mois d'août, venait d'expliquer Yasha, tout était fermé dans son quartier.

Qu'il se fasse servir *pour sept personnes*, avait-on repris sur ce qui semblait être une suggestion de Betty à côté. Qu'il prenne aussi, avait ajouté Yasha pour garder l'initiative, qu'il prenne de la vodka. Et de la bière, il faisait chaud.

Maazantov secoua la tête sans prendre la peine de répondre. Bien sûr, Fastenbelz était fauché. Bien sûr, c'était l'un des meilleurs écrivains fauchés qu'il connaissait à Paris ! D'accord. Mais était-ce une raison d'accepter qu'il se conduise comme quelqu'un à qui tout était dû ? Non.

Il le dit. Il se déchaîna même. Or, alors que ce qu'il infligeait à son interlocuteur aurait dû provoquer des répliques, des interruptions, rien ! Yasha Fastenbelz le laissait parler. Longuement. Aussi longuement qu'il le souhaitait.

Après, quand Fastenbelz estima que tout avait été dit, il se contenta de demander :

– Tu me reproches rien d'autre, Boris ? Réfléchis : tu as peut-être oublié ?

Maazantov haussa les épaules, sans répondre.

– Tu me reproches pas, enchaîna Fastenbelz, tu me reproches pas de t'avoir considéré comme un être à peu près humain jusqu'à maintenant ? Tu me reproches pas ça ?

Là encore, Boris ne jugea pas utile de répliquer alors que Yasha s'enflammait :

– ... Curieux, poursuivit-il, curieux que tu ne me reproches que d'avoir été mangé par tes moustiques. Curieux que tu ne me reproches que de t'avoir dit la vérité à propos de ta femme qui, entre parenthèses, est aussi sympathique avec nous que la petite fille d'un Cosaque qui se rappelle avec nostalgie une visite de pogrom de son grand-père chez ma famille ! Curieux que tu me reproches seulement ça. Curieux... Eh bien moi, poursuivit-il enflant la voix, eh bien moi, monsieur le grand comptable qui a réussi comme grand comptable au lieu de rester un petit journaliste qui savait pas écrire deux mots en yiddish sans faire cinq fautes, eh bien moi, je vais te dire ce que je te reproche puisqu'on est un jour où on parle un peu...

– Qu'est-ce que tu peux bien me reprocher ? l'interrompit Maazantov excédé.

– Ce que *je peux* te reprocher ? Beaucoup de choses ! Par exemple, en 1947, au mois d'août ou peut-être en juillet, *qui* a invité Betty à aller à Berck-Plage avec toi, pendant que là où j'étais moi, la vie n'était pas tout à fait rose clair, non ?

– C'est une vieille histoire, soupira Maazantov surpris. On est en 1957, non ? Et puis, c'était en tout bien tout honneur.

– Une vieille histoire, *en tout bien tout honneur* comme tu dis. Une vieille histoire où j'aurais pu quand même être comme le chef de gare musical de la chanson si on y réfléchit bien ! Et sans devenir jamais, après, le chef de quelque chose, non ?

– Je ne veux même pas répondre, grogna Maazantov. Au revoir, à un de ces jours.

Il se félicita d'avoir raccroché. Bien sûr, il avait pensé aider – il y avait tant d'années de cela – celle qui était devenue la femme de Fastenbelz et qui n'était à l'époque qu'une réfugiée maigre comme un clou. Une fille avec qui il ne s'était rien passé et pour qui huit jours dans une pension de famille à Berck avaient été l'équivalent d'un séjour au paradis.

Tout ça, c'était du passé. Du passé oublié depuis longtemps de son côté. Il ne comptabiliserait sûrement pas ce qu'il avait fait pour eux. Si lui, Boris, songea-t-il, si lui n'avait pas continué à les aider, qu'est-ce qu'ils seraient devenus ? Rien. Des cloches ! Des cloches faisant les fiers ! Et c'était comme ça qu'on le remerciait ? Un paradoxe. Il préférait oublier ce coup de téléphone et il s'apprêta, puisqu'il était tout à fait réveillé maintenant, à aller prendre son petit déjeuner seul, puisque sa femme dormait encore.

Ce fut donc dans sa cuisine, sur le deuxième appareil téléphonique de l'appartement, que la sonnerie le rattrapa. C'était de nouveau Yasha :

– Pourquoi tu as raccroché ? Tu as peur que le gouvernement mette par erreur *ma* communication à *ton* compte.

Maazantov secoua la tête sans rien répondre, sa colère était tombée.

– … Je me suis rappelé, poursuivit Fastenbelz en reprenant le fil de son discours de tout à l'heure comme si de rien n'était, je me suis rappelé *aussi* la fois où, parce que j'avais des petits problèmes, tu as voulu me trouver du travail en dehors de la littérature et du journal comme tu as dit.

– Tout le monde s'en souvient, acquiesça Maazantov. C'était pas la peine de rappeler pour ça. Dis donc, interpella-t-il alors Fastenbelz sur un autre ton, presque guilleret, dis donc : être payé à ne rien faire, juste un peu de correspondance vers l'étranger pour un client à moi qui était dans l'export de poissons à mettre en boîte, *ça aussi* c'est devenu un problème pour toi ?

– Et comment ! Rien que de penser à l'odeur de cette époque-là chez ton client comme tu dis, j'ai le mal de mer. Et je peux même pas demander une pension de ta part au ministère de la Marine, non ?

À cet instant, Boris pensa qu'on était revenu

à des blagues, mais Yasha enchaîna immédiatement avec d'autres reproches : *ceci, cela… en telle année, tel mois…* Beaucoup de reproches pendant dix bonnes minutes !

Tant de reproches.

Tant de chaleur.

Tant de persuasion, que Maazantov se mit à douter. S'était-il si bien conduit à la réflexion ? Peut-être oui, peut-être non. Chacun pouvait réagir de façon différente, c'était vrai. Aussi, quand Yasha Fastenbelz demanda une dernière fois s'il pouvait compter sur sa présence ce soir, Boris grommela que, finalement, sans doute, il ferait un saut.

Avec le *pickelfleisch* et tout ce qu'il fallait ? insista Yasha.

Oui.

Et *sans Magda*, bien sûr ?

Oui aussi.

En raccrochant pour la deuxième fois, il se demanda un instant – juste un instant – s'il avait fait le bon choix.

Il ne se répondit pas là-dessus en se posant la seule vraie question pratique à ne pas oublier : *combien*, exactement, de tranches de *pickelfleisch* lui avait-on demandé d'apporter pour ce soir. Combien ?

Cession de bail

La chemise bariolée qu'avait d'abord montrée du doigt le client (une sorte de gangster en costume prince-de-galles, avait jugé Simon qui assistait de loin à la scène), cette chemise aurait parfaitement convenu à un type pareil (toujours selon Simon), si Herbert Bargarop, le patron de cette boutique à l'ancienne, n'avait insisté pour que le client prenne plutôt l'autre, la bleue claire sobre, avec la cravate tricotée foncée dessus.

Bargarop, estima Simon, perdait son temps à donner des conseils – genre confection chic et british – à ce client-là qui, à son avis, était déjà sûrement en retard pour retourner préparer un prochain hold-up en province, dans un film !

L'idée le fit rire tout seul, même s'il en avait assez d'attendre à l'autre bout du long comptoir en acajou.

Il patienta pourtant. D'autant que la vendeuse de Bargarop était, elle, dans la vitrine en train d'arranger quelque chose sur un mannequin et qu'elle ne regardait pas de son côté.

Tant pis, ce n'était pas son genre à lui, Simon Emessdik, d'embêter les gens qui travaillaient…

Le pourquoi de tout ça, en résumé ? De sa présence ici, lui, le coiffeur d'à côté ?

C'était simple : il devait rencontrer cet après-midi un couple de candidats à la reprise de son salon de coiffure – à côté justement –, et il n'avait rien d'à la mode sur lui depuis qu'il était revenu en 45, plus du tout soucieux d'élégance. Heureux simplement de ne pas être ce qu'il aurait dû être : tout à fait mort comme Ida sa femme qui s'occupait des dames au salon, avant guerre.

Mais aujourd'hui, s'était-il dit, *aujourd'hui* une absence de cravate sous la blouse, ça pouvait jouer ! Au moins question prestance, par rapport à ces jeunes que lui avait annoncés l'agence chargée de la vente. Au moins pour ça !

C'était peut-être le moment, ce matin, d'investir dans de la décoration personnelle à défaut d'avoir fait repeindre le salon. D'où sa présence à cet instant – il regarda sa montre : onze heures dix, exactement –, d'où sa présence dans ce magasin à la cloison mitoyenne de son propre fonds.

Une grande boutique fanée, mais à la moquette bordeaux qui était restée aussi épaisse, apprécia-t-il, qu'une double tranche de *pickelfleisch* dans un restaurant digne de ce nom ! Il était passé un million de fois devant, mais c'était la première fois qu'il entrait pour de bon.

Bel endroit ! Vraiment de luxe comme dans le temps.

Pourtant, en dépit de la moquette, du vieil acajou juste un peu abîmé et de la vendeuse dans la vitrine, il était nerveux. Que ça finisse déjà ! Qu'on s'occupe enfin de lui ! Il ne voulait pas laisser le salon fermé trop longtemps, cravate ou pas cravate.

Son voisin était peut-être réceptif aux transmissions de pensées car, à l'autre bout du comptoir, il glissa enfin le dernier article dans un sac en papier, pendant que le type en prince-de-galles commençait à régler ses achats (plutôt haut de gamme quand même, décida Simon, pour une chemise, des chaussettes, plus un morceau de serpillière-cravate...).

Du coup, il attendit encore quelques secondes et demanda de loin quelque chose de raisonnable *pour lui, question cravate.* Ce qu'il cherchait, précisa-t-il, ce n'était *pas* pour un mariage ou une fête, c'était une simple cravate qui ferait bien sous la blouse.

La blouse, hein ? avait alors répété Bargarop, de loin lui aussi. D'accord, avait-il ajouté négligemment en sortant du comptoir pour raccompagner le client. D'accord, mais ça dépendait *de quelle* blouse ? Ils allaient en parler tout de suite, dans une seconde. Simon haussa les épaules, mais patienta de nouveau et il fut surpris d'entendre Herbert Bargarop demander en revenant vers lui :

– Alors que puis-je pour vous, *cher ami, cher voisin* ?

Il me fait un discours comme si on était à la radio sur Paris-Inter ou quoi ? s'inquiéta Emessdik, qui précisa :

– Pour répondre à la question de tout à l'heure, *ma* blouse vous la voyez sur moi ! Elle est tout ce qu'il y a de plus normal : *blanche*...

Couleur dentiste, hôpital, ou peintre en bâtiment si vous préférez. Et, comme je vous ai déjà dit, je dois pas aller non plus cette semaine au mariage du président de la République avec miss France ! Donc, soyez simple avec moi, prenez pas de gants : une cravate, même avec un dessin de la Bastille, du métro Saint-Paul, de l'Hôtel de Ville ou avec tout le plan de Paris dessus, ça ira du moment que ça peut faire jeune aujourd'hui.

Cette façon de parler semblait gêner Herbert Bargarop qui précisa qu'il n'avait *que* des marques. Emessdik hocha la tête, goguenard, avant d'annoncer, jovial, qu'il n'avait rien contre. Qu'on lui montre n'importe quoi, même une marque, du moment que ça ressemblerait à une cravate. De couleur rouge de préférence, pour la bonne mine et contre le mauvais œil.

Bargarop soupira et retourna derrière le comptoir en acajou. Il y aligna une douzaine de cravates sorties d'un tiroir également en acajou derrière lui. Des cravates unies, un peu chic, un peu comme ça. En soie, sûrement.

– Laquelle vous me conseillez ? demanda Emessdik. C'est juste, précisa-t-il, c'est juste pour un rendez-vous. Pas un rendez-vous avec une dame – il désigna la vendeuse dans la vitrine qui continuait à habiller un mannequin. Pas à mon âge ! Non : je pars à la retraite ! Je vais céder mon bail à des jeunes. J'ai rendez-vous avec eux. C'est pour ça, la cravate.

Il aurait annoncé les prochains numéros gagnants de la Loterie nationale, il n'aurait pas vu un pareil changement s'opérer chez Herbert Bargarop, un grand veuf majestueux, un bonhomme pas facile à dérider d'habitude.

– Pourquoi vous me l'avez pas dit ? demanda-t-il, l'air soudain détendu, ravi même. Je suis intéressé.

– Vous êtes coiffeur pour chemises, cravates et nœuds papillon ? rigola Emessdik. Je savais pas. Mon bail permet juste la coiffure hommes et dames.

Bargarop expliqua qu'on était dans le même immeuble, qu'on avait le même gérant et qu'il n'y avait pas de problème pour changer l'objet du bail d'à côté. En fait, ajouta-t-il, ce n'était pas pour lui – qui prenait sa retraite comme M. Simon –, mais pour son fils qui allait s'installer ici.

Ça étonna Emessdik car ce garçon, d'après ce qu'il en savait, ce garçon avait fait des études pendant au moins trente-cinq ans. Il le croyait super-professeur ou quelque chose comme ça. Mais, pourquoi pas après tout? Pourquoi ne pas parler avec la famille Bargarop ? Il n'avait rien décidé de ferme pour ses possibles repreneurs.

En même temps, il se demanda si le choix d'une cravate restait aussi urgent. Non. Autant discuter d'abord sans une ficelle qui serrait le cou. Un premier bon point pour Bargarop !

Bien sûr, il aurait préféré céder à des professionnels pour que le salon de coiffure continue à exister. Mais à la réflexion il n'était pas responsable du taux de coiffeur par habitant dans le quartier, non ?

Ce fut donc ainsi qu'Herbert Bargarop et lui commencèrent à aborder dates de révision, de renouvellement, ancien loyer, nouveau loyer, *et cetera*... Le tout, sous le regard – juste un instant – de la vendeuse dans sa vitrine qui s'était tournée vers eux. Simon Emessdik lui fit un signe de la main, elle répondit de même. Brave fille !

Il revint à la discussion avec Bargarop.

À cet instant, *qui* fit son apparition venant de ce qui avait été l'appartement de la famille Bargarop et où habitait aujourd'hui seul Herbert, le père ? *Qui* sortit de l'arrière-boutique ? *Qui* ? Le fils Bargarop ! Un type qui, d'après Simon, devait être déjà cinquante-six fois docteur et quarante-quatre fois agrégé en quelque chose.

En tout cas quelqu'un qui avait fait des études l'ayant rendu encore plus triste que quand il était déjà triste à treize ans. Quelqu'un qu'il n'aurait pas imaginé reprendre un jour l'activité de son père. Mais la destinée pouvait sans doute arranger les choses : même un garçon comme ça pouvait devenir raisonnable en vieillissant, non ? Ce fut pourquoi il accueillit le fils Bargarop d'un :

– Vous cachez pas dans l'appartement de votre papa comme un enfant qui veut pas dire bonjour ! Il paraît que vous voulez mon bail pour faire le supermarché du vêtement chic ici et à côté ! Bravo.

– Pas exactement, mon père ne vous a pas dit ?

– Rien, il m'a rien dit ! Qu'est-ce qu'il aurait dû me dire ?

– Je vais faire des travaux pour des bureaux

et notamment pour stocker des archives dans ces locaux.

Le coiffeur ne s'attendait pas à ça, mais pourquoi pas ?

– Des archives de costumes et chemises ?

Ça fit presque rire son interlocuteur. Enfin ça aurait pu s'il avait existé un diplôme pour apprendre à rire, se raisonna-t-il.

– Non, non, finit par expliquer le fils Bargarop, l'entreprise que j'anime doit changer de siège avant l'année prochaine et comme mon père…

Emessdik l'interrompit :

– Question sièges comme vous dites, je pourrais vous laisser mes deux fauteuils et trois chaises – en plus de mon bail –, si ça vous intéresse.

Il aurait bien continué à discuter, mais l'autre fit demi-tour. Il retourna dans l'arrière-boutique où l'attirait on ne savait quoi. En tout cas sans dire au revoir. Décidément, estima Emessdik, un garçon pas simple !

Le père se décida alors à faire le tour du comptoir en acajou pour lui dire de ne pas se formaliser. Il expliqua qu'il travaillait à pertes depuis longtemps et qu'il était content, lui aussi, d'arriver à l'âge de la retraite.

Il baissa la voix pour dire que son fils reprenait le bail avec l'accord du gérant et donc serait sûrement heureux de reprendre aussi celui d'à côté. Qu'en un mot, il était un père s'entendant bien avec un garçon qui avait tout à fait réussi dans sa branche. Un garçon pas très communicatif en famille, expliqua encore Herbert Bargarop, mais dont il fallait apprécier le sérieux. En tout cas quelqu'un qui avait une autre façon de voir les choses que l'ancienne génération.

Des confidences de ce genre n'intéressaient pas Emessdik, mais il fit oui de la tête. C'était seulement dommage pour cette demoiselle là-bas qui allait *peut-être* perdre son travail, non ? Il le dit à Bargarop en faisant un nouveau geste de la main vers la vendeuse. Elle répondit par un même signe. Décidément, elle était sympathique !

À cet instant, un doute l'effleura. C'était compliqué le possible projet avec le voisin. Peut-être qu'il ferait mieux quand même de voir du côté des jeunes qui avaient téléphoné pour une reprise tranquille de son fonds de coiffure. Des jeunes qui devaient ressembler à des jeunes, eux. Et un petit salon de quartier qui resterait un petit salon. C'était mieux finalement.

Restait alors le pourquoi il était entré ici au départ. Le lot de cravates était étalé sur le comptoir. Il s'en rapprocha, suivi par Herbert Bargarop.

– Vous savez, annonça Emessdik, je vais réfléchir pour mon bail. Je vais laisser venir d'abord – vous vexez pas ! – les petits jeunes avec l'agence. Mais je vous aurais pas dérangé pour rien ce matin : donnez-moi cette cravate-là.

Il en prit une en main, plus rouge que les autres.

– Bon, ajouta-t-il jovial, c'est pas que j'aie pas confiance, mais je vais demander un avis à votre vendeuse.

Il s'approcha de l'arrière de la vitrine et tendit la cravate.

– Qu'est-ce que vous en pensez, vous, mademoiselle, de cette couleur, pour moi qui pars à la retraite ? C'est bien ? Ça me rajeunit ?

Le patron fit une sorte de geste de loin : qu'elle ne se mêle pas de ça ! Elle regarda pourtant la cravate. Regarda Simon Emessdik avec sa blouse. Regarda encore une fois la cravate. Regarda de nouveau le coiffeur.

– Vous savez, soupira-t-elle, je vous ai entendu tout à l'heure : d'abord merci d'avoir pensé à moi. Et, pour répondre, question cravate, il n'y a pas de couleur spéciale à la jeunesse. Pour quelqu'un de *vrai* comme vous, tout sera toujours moderne et jeune. Toujours.

Mondanités avec piano, auteur et Gershwin

Ce qui avait fait la réputation de Bertha Stendikt – *cette chère madame Stendikt* comme on disait –, c'était l'organisation parfaite de ventes de charité.

Des braderies de tout ce qu'il y avait d'à moitié artistique, d'à moitié folklorique, au profit de tas d'œuvres auxquelles elle se dévouait. Ce, alors qu'on ne lui avait rien demandé, car ces manifestations convenaient surtout à ceux qui avaient la chance d'y être invités pour s'y débarrasser d'invendus invendables.

Le tout était organisé – et cette année ce serait *au mois de mai*, avait-elle précisé – au bénéfice d'associations dont les responsables, eux, auraient mille fois préféré qu'on leur fît un don sans empoisonner le monde avec ces histoires mondaines qui fatiguaient les meilleures volontés et ne rapportaient pas trois sous aux œuvres attributaires.

Mais elle y tenait cette dame, à ces soirées, à ses matinées, à ses *et cetera* !

Et il était vrai que, côté artistes ou écrivains, être invité à l'une des fêtes qu'elle organisait était une marque de considération.

Aux yeux de certains même, Mme Stendikt était l'équivalent de quelqu'un – quelqu'un de la haute société – qui se serait passionné dès le XVIIe siècle à la cour de Louis XIV pour la promotion future des œuvres de Sholeim Aleikhem.

En tout cas être admis chez elle aujourd'hui pour cette *réunion amicale* – c'était comme ça qu'elle avait présenté les choses –, y être convié pouvait être considéré comme un privilège.

Mais pas nécessairement pour Markus Novelitz, un bonhomme plutôt à part, un esprit libre en tout cas.

Un mot ici à propos de Novelitz.

C'était un écrivain yiddish passé au français qui était là pour la première fois. Et il venait de se dire, dans cet appartement du boulevard Henri-IV qui le changeait de son deux-pièces cuisine, que cette dame était peut-être une protectrice des arts, une bienfaitrice de l'humanité, tout ce qu'on voulait, mais que, comparés à ceux du boulanger en bas de chez lui, ses gâteaux ressemblaient à du béton coulé dans du carton.

Cela étant, jusqu'ici il s'était obligé à suivre tout ce qu'elle exposait aux autres invités assis comme lui, chacun avec une soucoupe dans une main et une tasse de thé tiède dans l'autre.

Or maintenant, il avait une terrible envie de déposer le tout sur le tapis de ce salon sorti, décida-t-il, d'une affiche pour le syndicat de vieilles femmes organisatrices de manifestations de ce genre.

Il avait envie de faire ça, puis de se sauver.

Où était la porte par laquelle il était entré ? Parfait, c'était jouable en quatre ou cinq pas. Il suffisait de se décider.

D'ailleurs, pourquoi cette réunion ? Pourquoi ? Oui, pourquoi ?

Pour *préparer* quelque chose *en mai* ! s'il avait bien compris. Il se demandait bien ce qu'il y avait à préparer si longtemps à l'avance.

On mettait des tréteaux. Sur les tréteaux, on posait des planches. Sur les planches, on se débrouillait pour mettre un drap ou une nappe. Et sur le tout, on alignait les livres ou les bricoles.

Pour les tableaux, on les accrochait. Aux murs de préférence. Et dans le bon sens s'il s'agissait d'abstraits.

C'était tout.

Est-ce qu'il fallait pour ça prévoir *une réunion* comme si on était dans un état-major à devoir préparer on ne savait quoi autour de tasses, de soucoupes, de sandwiches et de discours en carton ? Pas nécessairement, à son avis. Pas nécessairement...

À cet instant, Markus Novelitz passa en revue les raisons qui, à tort, l'avaient fait accepter de venir ici ce soir. Une longue histoire qu'on pouvait ainsi résumer : en 1953, en juin, quand il habitait encore vers la Nation, une fin d'après-midi où il attendait le métro à la station Hôtel-de-Ville après des achats au Bazar avec sa femme, son regard avait croisé sur le quai celui de Masha qu'il connaissait de vue depuis longtemps. Masha qui travaillait comme coiffeuse pas loin du Bazar de l'Hôtel de Ville mais qui habitait le XIIe arrondissement.

Que s'était-il passé dans le métro ce jour-là ? Beaucoup de choses. Beaucoup de choses...

Une histoire, s'avouait Novelitz, qu'il n'aurait peut-être pas osé mettre dans un roman. En tout cas, il n'avait pas résisté. Tout s'était joué sur des regards dans la même voiture du métro où lui, sa femme et Masha étaient montés. Et pour faire courte une longue histoire, comme on disait à peu près en anglais quand il avait vécu quelques mois en Amérique, pour terminer donc il était descendu derrière Masha à la station Reuilly-Diderot, en abandonnant sa femme. Définitivement.

Voilà.

Il était comme ça. Pas coureur. Non ! Imprévisible.

C'était sans doute pour cela aussi qu'il n'était pas beaucoup invité. On se méfiait de lui. Mais Masha, sa femme actuelle – Masha qui aspirait à une sorte de respectabilité, d'honorabilité, Masha qui avait réussi à faire partie d'un comité présidé aussi par Mme Stendikt –, Masha avait intrigué pour qu'on l'invite boulevard Henri-IV.

Eh bien, elle avait réussi !

Il était là. Bien là.

À contrecœur, mais là.

Bon, qu'est-ce qu'elle racontait maintenant, cette madame Stendikt ? Elle gazouillait, elle racontait pas. Décidément, rien pour lui là-dedans !

Novelitz déposa alors sur le tapis, à ses pieds, soucoupe et tasse, avant de se déplier pour se lever. En le voyant, Mme Stendikt s'interrompit :

– Vous cherchez quelque chose ? La salle de bains, c'est au fond du couloir, derrière, à droite.

La salle de bains ? S'il avait eu envie de faire pipi, il aurait demandé les cabinets, pas autre chose ! Non, il voulait simplement s'en aller. *En finir* avec cette réunion ! Mais comment le dire ? À cet instant, debout, hésitant, il eut une sorte de remords : s'il annonçait la vérité, s'il disait qu'il partait parce qu'il en avait marre, il allait offenser la dame, alors qu'après tout il n'avait rien de personnel à lui reprocher.

Novelitz était un être imprévisible, mais il n'y avait pas une goutte de méchanceté en lui. Pas une goutte !

Il décida donc de se rasseoir. Il trouverait un moyen de partir tout à l'heure. Ou alors, il supporterait jusqu'à la fin. Ça ne pouvait pas durer des heures. Le mieux était de se réinstaller sur sa chaise.

C'était ce à quoi il s'était résolu, quand Mme Stendikt se tourna vers lui, souriante :

– Alors, ça va mieux ?

– Pourquoi ça n'irait pas ? sursauta-t-il.

– De toute façon, susurra-t-elle, nous avons presque terminé notre petit travail, et je vais vous demander maintenant *à tous* (effectivement, remarqua Novelitz soulagé, elle s'adressait aux autres aussi), je vais vous demander de passer dans la pièce à côté où nous attend un jeune artiste qui débute et qui mérite d'être encouragé. C'était *une surprise*… gloussa-t-elle.

Quoi ? Il y avait une attraction non prévue au programme !

C'était la meilleure ! Bien sûr qu'il aurait dû partir en vitesse tout à l'heure.

Il ne put toutefois réagir assez vite car ses voisins immédiats – trois peintres, une poétesse et un couple timide qui faisaient *des choses* en province, ou en Provence, l'été, à ce qu'il avait cru comprendre –, tous s'étaient levés et avaient commencé à glisser en ombres consentantes vers la double porte que Mme Stendikt venait d'ouvrir.

Novelitz suivit.

Au point où on en était, c'était encore le plus simple. Il constata ainsi que derrière les portes de ce qui aurait pu être celles d'une salle à manger dans l'appartement de quelqu'un de normal, il y avait un piano.

Un vieux piano noir à queue.

Et derrière le piano ? Un pianiste.

Plutôt jeune. Mais grand.

Enfin, un long garçon assis sur un tabouret rond et qui entama à l'instant un morceau qui rappela quelque chose à Novelitz.

C'était *du Gershwin*, souffla la vieille Mme Stendikt, pâmée, à l'attention des autres invités debout autour du piano. Ça énerva encore plus Novelitz. À tel point qu'il décida de plonger dans le piano. Il y avait peut-être une sortie de secours de ce côté, pourquoi pas ? Or là, sur qui tomba-t-il ? Sur *qui* ? Sur George Gershwin lui-même qui surveillait l'interprétation.

Un Gershwin gêné d'être surpris à contrôler un interprète.

De son côté, Novelitz hésitait. Sans vouloir parler trop fort pour ne pas gêner, il s'excusa d'être entré dans le piano *de madame Stendikt*. C'était vraiment par hasard. Ce n'était pas dans ses habitudes. Il n'était qu'un simple écrivain de passage.

Gershwin poussa un soupir : est-ce que ça avait de l'importance pour lui de savoir *chez qui* on maltraitait sa musique ? À quinze ans, lui-même était déjà pianiste démonstrateur pour la musique des autres, et ce qu'on pouvait tirer d'un piano, même du pire, il le savait mieux que personne au monde, non ?

Eh bien, tout ce qu'il pouvait dire ici, c'était que c'était, *comment dire* ? Il n'avait pas de mot ! *Où* étaient l'énergie et la légèreté, *où* était la couleur, *où* était l'élan, *où* était la vie dans une interprétation comme ça ?

Il y avait eu des gens pour détester sa musique ou plutôt le détester lui-même. Or ce garçon qui avait tout pour l'aimer la détruisait, le pauvre, comme personne ne l'aurait osé volontairement ! Dommage qu'on laisse ce jeune type malmener des notes qui ne lui avaient rien fait.

Il parlait américain et Markus essayait de répondre dans la même langue. Mais c'était difficile en dépit des quelques mois passés là-bas et il se contentait d'un *yes, yes*... L'autre de toute façon n'avait pas l'air d'avoir envie de dialoguer.

– Restez en bonne santé, se contenta donc de souffler Novelitz en yiddish pour prendre congé, sans être sûr d'être compris, avant de rectifier en français comme s'il avait dit une bêtise et en admettant que les morts comprenaient toutes les langues :

– Excusez, se lança-t-il, excusez… Vous êtes un vrai génie américain, un formidable génie, et c'est magnifique pour le monde entier ! Je sais bien que vous êtes mort longtemps avant la guerre, et c'est encore plus beau de votre part aujourd'hui de ne pas laisser votre musique s'abîmer, même si ça vous oblige à écouter un apprenti cordonnier pianiste comme ce garçon-là…

Novelitz se décida alors à ressortir du piano.

En tout cas, pendant le temps où il avait été absent, Mme Stendikt et ses autres invités n'avaient rien remarqué. Rien ! Ils avaient continué à écouter avec la même attention. Et ils applaudissaient maintenant.

Du coup, avant que le métronome assis sur le tabouret ne recommence, Novelitz fit deux pas en arrière. C'était le moment de partir. Il regarda autour : tout le monde avait l'air content. Il n'y avait eu que lui de critique depuis le début. Et Gershwin, dans le piano bien sûr ! Mais celui-là était mort en 1937…

Novelitz eut donc de nouveau un remords. Pouvait-il, lui – seul parmi les vivants ! – être juge de ce qui était bien ou de ce qui ne l'était pas chez une madame Bertha Stendikt qui avait au moins un but dans l'existence : organiser des réunions. Pourquoi pas, après tout, si c'était son rôle sur terre ?

Aussi, peut-être parce que Novelitz était imprévisible, peut-être parce qu'il avait eu pas mal d'expériences difficiles ou bizarres dans sa vie (par exemple, et c'était la moins grave, avec Masha qui de svelte, légère et séduisante était devenue, avec le temps, une sorte de petit caporal autoritaire), peut-être pour tout ça, Novelitz décida de rester.

Et dans le piano, George Gershwin attentif pour savoir si le jeu du type sur tabouret s'améliorait (on pouvait être optimiste, c'était pas défendu, non ?), dans le piano Gershwin admit, et cette fois en riant, qu'on devait quand on revenait faire un tour sur terre, pouvoir supporter un monde qu'on avait espéré toujours plus beau, alors qu'il ne l'était pas encore devenu. Mais on pouvait avoir de bonnes surprises quand même ! Par exemple, celle de trouver ce type de passage dans le piano – un écrivain, enfin quelqu'un de ce genre… –, quelqu'un qui avait eu le réflexe de plonger pour le saluer, lui, et bien sûr pas ce portemanteau devant le clavier !

Novelitz se prit à songer, lui, que même avec un instrument qui aurait mérité mieux qu'un garçon rigide assis sur un tabouret d'un des boulevards du côté chic de la Bastille, que même ainsi on pouvait avoir des bonheurs nouveaux. Pas de ces bonheurs aux avenirs incertains comme ceux qui avaient suivi sa rencontre dans le métro avec Masha.

Non ! Des bonheurs imaginaires. Seulement imaginaires. Des petits bonheurs, situés au-delà des réalités du jour. Eh bien, après tout, bravo à Mme Stendikt et à ses réunions préparatoires !

Bravo !

Surtout, admit Markus Novelitz rasséréné, surtout avec des notes finales – même égrenées pas tout à fait comme il le fallait, même à solder sans remords ici avec les autres fouillis de la vente de cette chère madame Stendikt –, sur des notes qui, bien au-delà, resteraient celles de l'immense et à jamais vivant George Gershwin.

Les Maillots de la destinée

On trouvait dans son épicerie beaucoup d'articles de bonneterie depuis quelque temps.

Tout cela parce que son neveu qui avait abandonné sa femme pour aller vivre sa vie avec une chanteuse poitrinaire, avait aussi abandonné le petit magasin dont il s'occupait auparavant.

Leib Guterzik, pour venir en aide à l'épouse du neveu, avait donc repris le stock et réglé un arriéré de loyer. Il voulait que tout le monde fût heureux. Mais la nièce avait quand même tenté de tuer son mari, et le neveu avait néanmoins, à son tour, été quitté par la chanteuse qui – toute malade qu'elle fût – s'était rendu compte que c'était un imbécile fini.

Restait que les articles du neveu furent appréciés cet été par une partie de la jeunesse du quartier et d'ailleurs. Une étonnante histoire de bouche-à-oreille concernant des maillots de corps imprégnés d'odeurs de cannelle ou d'autres épices ! La marchandise du neveu avait été stockée sans précaution, à même le sol, au fond, près des sacs d'épices et des tonneaux de cornichons. Les articles étaient ainsi à la fois défraîchis et parfumés, mais ça ne déplut pas. Au contraire ! Leib Guterzik en fut étonné, sans plus. La jeunesse, le monde, la mode étaient bizarres pour lui, c'était tout.

Un jour pourtant quelqu'un qu'il ne connaissait pas entra dans l'épicerie. Ce quelqu'un avait une tête de vieux gentleman anglais, était habillé de noir en plein mois d'août et tenait un parapluie fermé de sa main gauche. Ça inquiéta vaguement Leib Guterzik qui demanda en quoi il pouvait aider le visiteur.

– On m'a dit que vous aviez des maillots de marque Eugène Sporderoyz, annonça le gentleman en jetant un œil intéressé aux sacs d'épices.

C'était peut-être un ancien dandy qui cherchait des choses compliquées dans des endroits simples, mais Leib Guterzik en fut perturbé. Il le montra sans doute sur son visage.

– Ne vous inquiétez pas cher ami, reprit l'inconnu sur un ton de seigneur. Je suis moi-même Eugène Sporderoyz, l'inventeur et le fabricant de parures pour athlètes élégants. On m'a signalé l'engouement d'une jeune clientèle de votre quartier pour mes maillots qu'on trouverait maintenant en épicerie spécialisée. C'est étrange. Je tenais, poursuivit-il, à procéder à une inspection impromptue, eh bien, permettez-moi de vous dire que c'est…

L'épicier s'attendait à des insultes, mais le visiteur s'exclama :

– C'est… génial !

Le vieux monsieur s'approcha des piles de maillots, les examina, et s'entretint longuement avec Guterzik des possibilités de les imprégner industriellement d'une odeur d'épices variées, alliée subtilement à celle des cornichons russes, d'huile d'olive fraîche et à d'autres éléments exotiques.

Ils se promirent d'y réfléchir, et quelques mois plus tard, après s'être revus, ils décidèrent de fonder une société nouvelle pour la création et la distribution exclusive en épicerie de maillots de corps épicés.

Le succès fut rapide. La jeunesse aimait. Aussi bien en France qu'à l'étranger.

Et bientôt le monde des plus de vingt ans à son tour se laissa gagner par cette mode étonnante. Ce fut une avancée aussi spectaculaire que celle qui avait fait connaître au monde entier certains sodas fabriqués aux États-Unis.

Eugène Sporderoyz était déjà d'un âge avancé lorsqu'il avait rencontré Guterzik. Il n'avait pas d'enfant, et, quand il mourut, en dehors de legs à diverses associations sportives méritantes et de la part prélevée par l'État, sa compagnie revint à Leib Guterzik. Lui-même n'était plus très jeune, et il n'avait pas non plus d'enfant.

Aussi quand on dut le transporter au cimetière de Bagneux, il laissa pour seul héritier son neveu. Celui qui, quelques années auparavant, avait lâché un petit commerce et une femme – acariâtre mais en bonne santé – pour une chanteuse malade. Laquelle lui avait d'ailleurs rapidement préféré un jeune serveur de cabaret.

On en était là maintenant : un imbécile total, sans épouse, sans enfant, sans idée, sans rien du tout, se trouvait à la tête d'une des plus fabuleuses entreprises du siècle.

Pour quoi faire? Pas des merveilles en définitive. Léon Guterzik était un grand garçon naïf, qui – quand il lui arrivait de penser – ne rêvait qu'à une chose, retrouver Bella, la chanteuse qui l'avait quitté.

À la tête d'un empire, il put mandater un cabinet de détectives privés, et très vite on retrouva la trace de sa maîtresse.

Le rapport était complet, comme tous les rapports. Il en découlait que :

1°) Bella avait toujours eu une santé de fer, bien que parfois sujette à des vapeurs quand elle était contrariée ;

2°) le serveur – en réalité un fils de confectionneur qui travaillait dans cette boîte pendant les vacances universitaires – l'avait quittée à son tour pour se marier avec une étudiante en médecine comme lui ;

3°) cette Bella ne vivait plus à Paris, mais aux États-Unis ;

4°) elle n'était ni blonde, ni rousse, ni brune, mais châtain comme tout le monde ;

5°) elle n'avait pas vingt-huit, mais quarante-trois ans ;

6°) elle ne savait pas chanter, mais avait effectivement travaillé dans un cabaret. Comme secrétaire.

Toutes les vérités, en somme, qu'on pouvait trouver dans un rapport de détective, quand on s'intéressait à une femme…

Les entreprises dont il avait hérité fonctionnaient seules et Léon put partir immédiatement pour Chicago où cette ancienne amie habitait maintenant. Elle y avait une sœur qui s'était mariée là-bas avec un vendeur de voitures d'occasion, ivrogne. Quand Léon fit la surprise à Bella de réapparaître en milliardaire, cela plut. Il l'épousa.

Ils revinrent à Paris.

Curieusement, la nouvelle Mme Guterzik s'intéressa alors beaucoup aux maillots de corps épicés, ainsi qu'à d'autres articles de mode de ce genre. De son côté, le pauvre Léon, qui sans doute n'était pas sur terre pour être heureux, mourut bientôt.

Ainsi, en quelques années, la société propriétaire de la célèbre marque Sporderoyz-Guterzik était passée des mains d'un industriel esthète et d'un épicier généreux à celles d'un neveu idiot, puis à celles d'une dame sans qualités morales mais qui avait une solide formation de comptable. La firme devint encore plus célèbre.

Lorsque la veuve mourut à son tour, ce fut sa famille américaine qui recueillit les fruits de tout cela.

On était de plus en plus loin de l'épicerie où les choses avaient commencé.

Or la sœur de Chicago – celle qui était mariée avec un vendeur de voitures ivrogne –, dès qu'elle hérita, en profita pour mettre son mari dans une maison de retraite pour, précisément, anciens vendeurs de voitures d'occasion alcooliques. Et elle revint en France.

Là, elle fit la connaissance, à Cannes où elle avait loué une villa, d'un très vieux confectionneur retraité qui présentait bien.

Ils jouaient dans le même club où tous les deux essayaient d'apprendre le bridge. Ils parlèrent, et admirent que le bridge était un jeu beaucoup trop difficile, alors qu'ils savaient parfaitement jouer au rami depuis toujours.

Une amitié amoureuse s'ensuivit, et le vieux confectionneur fut amené à présenter son fils et sa bru, en vacances chez lui. C'étaient tous deux des docteurs en médecine, mais eux aussi préféraient – tout intellectuels qu'ils fussent – le rami au bridge.

Or ce médecin, lorsqu'il était étudiant à Paris, avait travaillé dans un cabaret comme serveur et avait eu une vie inavouable, avant de rencontrer sa femme – une sainte – et devenir médecin des pauvres. Il raconta tout ça, un jour, pendant une partie de cartes, et la vieille dame en fut émue. Elle fit à son tour le récit des aventures de jeunesse de sa sœur qu'avait en fait bien connue le fils du confectionneur. Tout le monde convint que c'était une coïncidence merveilleuse que cette rencontre.

Ils continuèrent bien sûr à se fréquenter à Paris et à Cannes, maintenant qu'ils se considéraient tous comme étant presque de la même famille. Entre-temps, le mari américain était mort, et, par sympathie, la dame qui n'avait pas d'enfant légua, avant de succomber à son tour, toute sa fortune au couple rencontré par hasard. L'entreprise avait encore prospéré, et le docteur abandonna son cabinet pour gérer les énormes affaires dont il avait hérité.

Ce médecin qui disposait soudainement de biens inattendus était un idéaliste. Sa femme aussi.

Ils se mirent à concevoir de gigantesques projets sociaux à travers le monde, avec des investissements sans profit et à risque qui tous réussirent quasi miraculeusement. Ils sauvèrent ainsi de la famine plusieurs pays, en industrialisèrent d'autres, devinrent d'efficaces et remarquables bienfaiteurs de l'humanité.

En quelques années de dévouement intense au bien-être de populations souffrantes, ils imposèrent leur nom, au-delà de la fameuse marque qui ne patronnait, elle, que des événements spectaculaires.

Et les années passèrent encore.

*

Le médecin avait cent ans maintenant. Sa femme était morte d'épuisement à quatre-vingt-dix ans au chevet de diverses populations, et lui-même poursuivait un travail acharné sur le terrain. Mais, avec l'âge, il avait besoin de repos, parfois.

Un soir où – songeur et solitaire comme tous les bienfaiteurs de l'humanité – il se promenait sur une plage exotique où il avait ses habitudes, il vit apparaître un gentleman sportif habillé d'un costume sombre, portant un parapluie fermé à la main et accompagné d'un homme chauve en tablier bleu d'épicier. Ça le surprit de les voir ainsi sortir des cocotiers. Il s'arrêta. Le gentleman se présenta :

– Eugène Sporderoyz, médaillé artistique et militaire, inventeur et fabricant des maillots de corps qui portaient mon nom.

Son compagnon ajouta, plus jovial :

– Leib Guterzik. Ancien épicier pas très loin du métro Bastille il y a longtemps. Et –

avant cimetière de Bagneux – ancien créateur de mode.

– Nous sommes venus vous confirmer, annonça le gentleman, que le hasard n'existait pas et que tout était toujours prévu. Dans les contes, comme dans la vie.

– Exactement, approuva l'homme au tablier, qui ajouta en hochant la tête :

C'est vous qui aurez un prix Nobel parce qu'il faut bien le donner à quelqu'un, mais, croyez-moi, les choses étaient réglées ailleurs. *Ailleurs* ! Nous-mêmes, on ne savait rien de tout ça à l'avance.

Il fit un signe d'au revoir de la main.

– En tout cas, soyez en bonne santé, lança-t-il avant de disparaître.

Le gentleman qui avait parlé le premier tout à l'heure reprit alors la parole, plus solennel.

– La réussite de toute œuvre humaine, déclara-t-il, n'est que l'aboutissement du destin d'êtres qui, eux, ignoraient pourquoi ils étaient sur terre. Aussi bizarre que cela puisse paraître, sachez-le bien ! Même si… conclut-il maintenant avec un sourire, même si le fait de le savoir ne sert strictement à rien.

Et il s'effaça à son tour.

Double sauvetage d'amour au métro Bastille

Les choses reposaient sur un simple malentendu : la lettre de Bertolt Hintersz qui avait tout déclenché était arrivée un jour où il y avait du travail et Ary Messbar, le directeur, l'avait mise à la poubelle avec d'autres choses qu'il avait sous la main.

Cela lui arrivait en période de surmenage. Encore que d'habitude dans ces moments-là, il se contentait de demander à Hella, la secrétaire, de jeter par la fenêtre – de sa part – *tous les gens* qui se présenteraient au bureau sans motif précis. Donc pas nécessairement le courrier.

Ainsi, c'était bien une inadvertance. Mais le hasard avait fait le reste : la deuxième fois, lorsque Bertolt Hintersz avait téléphoné, c'était également un jour de bouclage. Or Ary Messbar avait interdit à Hella dès le matin de lui passer toute communication. Quelle qu'elle fût. Ce, sous l'habituelle sanction. Et exécutable par la même fenêtre d'où il se proposait de faire jeter tout enquiquineur en tentative de visite ce jour-là.

Par deux fois donc, les choses avaient été aggravées sans qu'on en prît la mesure.

C'était d'autant plus dommage qu'on publiait tant de points de vue dans ce petit journal, tant de lettres de lecteurs, qu'une de plus ou de moins n'aurait gêné personne. D'ailleurs le point de vue exprimé dans le courrier de Bertolt Hintersz, s'il avait seulement été parcouru, aurait eu toutes les chances d'être inséré (on n'écartait que les demandes trop personnelles, et encore, sauf si Hella ne réussissait pas à les placer dans la rubrique « annonces matrimoniales »).

Ainsi, alors que la publication ou la non-publication de la tribune libre de ce pauvre Bertolt Hintersz ne résultait *pas* d'une volonté délibérée, les choses se révélèrent avoir des conséquences sévères.

À partir de là en effet, Bertolt Hintersz – un célibataire de cinquante-trois ans sympathique et qui avait des opinions sur tout –, ce Bertolt Hintersz-là eut la conviction à tort qu'on tentait de faire barrage à ses idées et il se mit à nourrir du ressentiment à l'encontre du journal et de son directeur. Il commença même un travail de sape au sein du comité de l'association dont dépendait le sort du périodique.

Or Hintersz était apprécié des autres sociétaires. Il pouvait donc parfaitement réussir à convaincre les membres de l'association de supprimer la subvention au journal. Ce, pour les raisons de restrictions budgétaires avancées maintenant par lui. En réalité, sur pression constante d'un type vexé.

En résumé, d'un simple concours de circonstances (et sûrement pas de la volonté consciente d'un directeur surmené), d'un simple malentendu donc, risquait de naître une période difficile pour un brave petit journal associatif.

D'ailleurs, les choses auraient rapidement pu être plus graves si le vieux Boris Stattlicht n'avait pas été placé là où il fallait : à la vice-présidence de l'association soutenant le journal.

Cet homme-là était une autorité-née. Il aurait pu être roi ou chef d'État de n'importe quel pays en crise, s'il n'avait pas été occupé à plein-temps par une boutique de sur mesure pas très loin du métro Bastille.

Et dès que les choses devinrent sérieuses (assez brutalement en tout cas, à la fin d'une des réunions du dimanche au siège de l'association), dès lors il se désigna pour une ultime mission d'apaisement.

Le journal, il écrivait dedans comme tout le monde. Il l'aimait. Il ne se laisserait pas mourir sans rien essayer ! Voilà ce qu'il avait répété quand on avait reparlé de supprimer la subvention. Si c'était une question de moyens, avait-il ajouté, tout le monde ferait mieux de penser d'abord à régler un jour son abonnement. Si c'était plutôt un problème personnel entre le directeur et quelqu'un – des bruits avaient couru… –, alors on mettrait les choses à plat, en convoquant Ary Messbar lui-même, pour une mise au point raisonnable.

Si c'était autre chose… Non, ça ne pouvait pas être autre chose ! Il n'y avait aucune raison pour que ce fût autre chose.

Stattlicht ne portait que le titre de vice-président, mais on le respectait. Aussi, quand il décida de réunir tout le monde *lundi prochain* (demain), *à l'heure du déjeuner* (on ne mangerait pas ; la vie n'était pas faite pour manger), *dans ses locaux* à lui (il avait beau se dévouer, il avait une affaire à faire tourner, il ne fallait pas exagérer), quand il donna donc ses convenances pour la réunion de la dernière chance, tout le monde au comité ne put qu'acquiescer.

Y compris Bertolt Hintersz qui aurait pourtant préféré qu'on décidât ce dimanche même la suppression de la subvention au journal.

De son côté, Ary Messbar, le directeur, avait grogné quand il avait été averti tardivement par Stattlicht de cette réunion imprévue du lendemain.

Mais on lui avait rappelé au téléphone que, d'une part, le métro était direct du bureau du journal jusqu'à Bastille, et que, d'autre part, en cas de non-présence constatée, lui, Boris Stattlicht – en le priant de l'en excuser à l'avance – viendrait lui mettre son pied au derrière ; ce, dès qu'il aurait fermé le magasin ce même lundi.

Comme tous deux avaient du caractère, mais que Stattlicht avait dix ans de plus, le directeur du journal s'abstint, par déférence, de répondre qu'il le ferait jeter *avant* par la fenêtre. Il s'inclina au bénéfice de l'âge.

Même Hella la secrétaire fit le voyage pour accompagner son patron et on laissa le téléphone décroché au bureau.

*

Ainsi, maintenant ils étaient tous là dans l'arrière-boutique de Stattlicht – onze hommes, plus Hella –, tassés dans une pièce de quatre mètres sur trois cinquante, sans fenêtre. Une pièce encombrée de tas de choses en plus.

Boris Stattlicht s'était assis devant la table carrée posée au milieu. Quelques membres de l'association arrivés plus tôt y étaient installés autour. Les autres qui n'avaient pas de place étaient debout.

Sans perdre de temps, Stattlicht avait résumé les termes de la controverse : suppression de la subvention – pour déficit insondable aux dires de certains –, ou sauvegarde optimiste ? Lui d'emblée avait annoncé la couleur. Il était pour le maintien de la subvention. Plus une augmentation même si c'était nécessaire.

Ces derniers mots firent plaisir à Ary Messbar qui voulut prendre la parole pour remercier. Boris Stattlicht l'en empêcha d'un geste. On devait entendre les membres du comité de l'association d'abord. *Qui* parmi eux avait quelque chose à dire ?

Bertolt Hintersz, debout, commença par souligner que, *primo*, la presse en général ne servait à rien, c'était connu ; que, *secundo*, de toute façon dans ce journal-là, dès que quelqu'un avait quelque chose d'intéressant à dire, on lui fermait les colonnes ; que, *tertio*...

Il n'y eut pas de *tertio*. Ary Messbar, lui aussi debout, s'enflamma contre Bertolt.

Dans cet espace clos, les choses ne pouvaient dégénérer en match régulier faute de place, et Stattlicht rétablit l'ordre en rappelant que, d'une part, il était honteux de se fâcher entre gens civilisés, et que – surtout – le premier qui abîmerait quelque chose du matériel ou du stock des établissements Stattlicht, celui-là aurait affaire à sa compagnie d'assurances ! Ça calma les esprits.

Messbar abandonna alors Hintersz qui, encore ému, continua son discours. Enfin, essaya de continuer, car Stattlicht regarda de nouveau sa montre et l'interrompit.

Lui, du travail l'attendait ! déclara-t-il. On n'allait pas passer la journée à perdre son temps, il fallait se décider. Et la décision, à son avis, c'était qu'on ne changeait rien. Rien du tout. On ferait comme avant et on reporterait les choix à l'année prochaine. Toute autre solution apporterait la discorde, comme on venait de le constater.

Sur ce, il commença un autre discours, très personnel, dont les phrases trouvaient au fur et à mesure son agrément puisqu'il ne regardait plus du tout sa montre maintenant. Sans doute était-ce un orateur-né. En tout cas, les autres l'écoutaient, vaguement ahuris après l'incident Messbar-Hintersz. Ça durait, et ça durait, et tout le monde sentit que l'idée d'augmenter la subvention l'année prochaine plutôt que de la supprimer, gagnait. *Sauf si* quelqu'un comme Bertolt Hintersz osait contre-attaquer entre-temps, bien sûr.

Hella, la secrétaire, était placée juste à côté de lui et elle l'attendait, cette possible contre-offensive. Elle était d'ailleurs tellement à côté de lui, que compte tenu de la configuration de la pièce, ils se frôlaient. Certes, elle et Bertolt Hintersz se connaissaient un peu, mais jamais – surtout pas au téléphone ! –, jamais ils n'avaient été si proches.

Fut-ce alors quelque chose de l'ordre du mystère ? De la Providence ? Fut-ce autre chose ?

Pendant que Stattlicht se délectait de sa propre intervention, Hella se prit d'un intérêt nouveau pour son voisin immédiat encore secoué par ce qu'il avait subi de la part de Messbar. Et ce Bertolt Hintersz avait l'air tellement malheureux maintenant, qu'il ne semblait même pas songer à reprendre la parole ; elle lui prit alors gentiment la main.

Les gens autour ne virent rien. Tout le monde fixait Boris Stattlicht qui parlait et parlait, assis à sa table. Même Bertolt ne réalisait pas ce qui se passait. Mais il regarda mieux et se tourna vers la secrétaire qui lui souriait. Elle était pas mal, pas mal du tout, la dame qui ne lui avait pas passé le directeur au téléphone l'autre fois, constata-t-il ému. Un chignon sympathique, une femme dévouée, veuve de guerre, d'après ce qu'il avait entendu un jour.

En tout cas, là, maintenant, cette femme délicieuse était passée du bon côté. Bertolt Hintersz en avait la preuve. C'était même tout à fait extraordinaire, car elle risquait d'y perdre son travail. Il pressa alors à son tour – grisé, juste grisé – la main de cette dame qu'il connaissait à peine et qui semblait le soutenir moralement.

En un instant, tout avait changé.

Stattlicht parlait et parlait encore, mais c'était comme si lui, Bertolt, l'opposant de tout à l'heure, était en vacances en compagnie d'une amie. On le lui aurait dit ce matin, il aurait bondi, mais c'était ainsi ! Tous deux ne se lâchèrent les mains que lorsque le vieux Boris eut terminé son speech. Et ce fut pour applaudir avec les autres.

Ary Messbar, le directeur, était content lui aussi de la matinée. Il n'avait pas bien compris où Stattlicht avait voulu en venir, mais pour cette année encore, le journal était sauvé.

Aussi en donnant le signal du départ, le directeur tendit spontanément la main à Bertolt Hintersz pour regretter l'incident de tout à l'heure. Qu'il envoie un texte résumant son opposition, proposa-t-il. On le publierait avec plaisir, et en première page, on était en démocratie !

À son tour, Bertolt Hintersz s'excusa des mots qu'il avait eus, et Hella le regarda avec des yeux encore plus émus, avant de rejoindre son patron qui courait déjà vers le métro Bastille. Sûrement qu'elle et Bertolt se reverraient souvent maintenant que le journal allait survivre ! Et sans doute qu'un amour en vue d'un mariage à venir était né.

En résumé, la liberté de la presse avait ainsi de nouveau progressé dans le monde.

Scientifique, rue de Birague

Quand Sam Farblonge posait une question, c'était qu'il avait une réponse. Mieux, qu'il avait une réponse que la personne qu'il interrogeait ne pouvait connaître. Car ses questions étaient des cartes de visite introductives à autre chose.

Ainsi ce soir-là chez le président qui avait réuni une quinzaine d'amis autour de lui, on venait d'entendre la conférence habituelle. Cette fois-ci un exposé fait par un sympathique médecin et Sam Farblonge s'était levé le premier en applaudissant très fort.

Ce, tout de suite avant que le président n'invite comme d'habitude à se rendre dans la pièce d'à côté pour déguster un morceau de gâteau maison avec un schnaps.

Farblonge avait donc pris la parole pour dire :

– Je remercie le conférencier pour tout ce qu'il nous a appris, mais je vais lui poser une petite question maintenant…

Là, il avait semblé hésiter avant de poursuivre :

– Il faut peut-être d'abord qu'il sache que la médecine peut aussi beaucoup se tromper. Je pense à mon oncle, celui qui est mort de maladie l'année dernière et que tout le monde aimait beaucoup ici et, bien sûr, là où il a habité si longtemps. Je demande pourquoi la médecine s'est trompée sur lui si elle est aussi moderne que l'a dit le docteur, avec les radios, les analyses, les *et cetera* ? Je demande…

L'orateur était inquiet, car il n'avait aucun élément sur l'oncle en question. Ce qui à la réflexion le soulagea, tout en l'incitant à préciser que *la science* avait encore des progrès à faire, comme il venait *aussi* de l'expliquer.

Une phrase bien envoyée qui fit hocher la tête à tous les invités.

On aurait pu s'arrêter là, mais il demanda à Farblonge quelle était sa question exacte. Et là – là ! –, le docteur avait pris un risque qu'un homme comme lui ne savait pas mesurer.

Le président tenta de reprendre les choses en main, mais l'intervenant savait placer des phrases si bien articulées, si imperméables aux interruptions, qu'il était impossible de l'arrêter trop vite. Il avait poursuivi alors que le président regardait sa montre. Savait-on quel homme dévoué avait été son oncle ? Non ? *On allait y revenir*… Et aussi, se rappelait-on à quel numéro de la rue de Birague avait habité son oncle ? Quelle importance le numéro ! pouvaient se demander certains. *On allait y revenir.* Même si, en deux mots, c'était la maison avec une cour où lui, avait joué enfant.

À cet instant, le président prit peur. Il connaissait son monde. On risquait de *revenir* à tant de choses qu'un simple docteur n'aurait aucune chance de pouvoir bloquer un orateur-né comme Farblonge.

– Je suis obligé de couper la parole à tout le monde, se décida donc le président. C'est fini pour la conférence. Désolé, je regrette, continua-t-il en faisant un signe de tête aimable à l'attention de Farblonge, parce que moi aussi, moi aussi… j'aurais certainement pu, comme notre ami, avoir des choses à demander après le si magnifique exposé du docteur qu'on vient d'entendre.

Toujours debout, Farblonge avait aussitôt réagi :

– Oui ? Quelle question vous voulez poser ? Allez, dites ! Qu'est-ce que vous avez à demander, *vous*, à propos de *mon* oncle ? On a le temps : tout le monde n'est pas affamé de gâteaux. En tout cas moi, je prends jamais rien la nuit, surtout pas des gâteaux. Ça empêche de dormir et ça donne des brûlures à l'estomac, n'est-ce pas docteur ?

Aïe ! Le « *n'est-ce pas docteur ?* » pouvait poser problème au scientifique qu'était l'orateur.

C'était – en plus – le genre de chose que la femme du président n'aurait pas voulu entendre après une journée consacrée à la pâtisserie dans sa cuisine. Tout était réuni pour empoisonner l'assistance si le président n'avait su glisser :

– En réfléchissant bien, j'avais rien à demander de spécial... Le docteur a tout bien expliqué ! On peut maintenant aller grignoter un peu.

Il allait donner l'exemple et les gens s'étaient levés pour passer dans la pièce à côté, quand Farblonge tapa dans ses mains :

– Une seconde s'il vous plaît ! J'ai pas fini.

Les gens se rassirent.

Tout le monde savait, poursuivit Farblonge, que son oncle – celui que tout le monde connaissait rue de Birague, qu'il dorme en paix! –, que son oncle et lui étaient depuis toujours dans le comité d'organisation du prochain bal pour la jeunesse à l'Hôtel Moderne, dimanche en huit. Donc, ici, puisqu'on était – il compta du doigt l'assemblée –, dix-sept ce soir avec le président et le docteur, il était à la disposition de tout le monde pour des billets à tarif réduit.

Chacun des invités, gêné, regardait le bout de ses chaussures, quand il ajouta :

– Je sais que celui qui prendra pas de billet pour ce grand bal qui entre parenthèses est le seul à *vraiment* aider la jeunesse, que celui-là sera une sorte d'égoïste ! Mais qu'est-ce qu'on peut y faire ? Je commence donc par le docteur : combien de billets vous voulez ? Un, deux, trois, quatre ?

Le conférencier, inquiet, précisa que ses deux fils étaient petits, dix, douze ans, ils n'allaient pas dans les bals.

Bon, alors *deux* billets seulement pour madame et lui, admit Farblonge.

Le conférencier ne pouvait pas *ne pas* donner l'exemple, et il allait tirer son portefeuille de son veston, s'exécuter, quand brusquement quelqu'un descendit du plafond.

C'était Itzik Farblonge, l'oncle de Sam, qui s'exclama, rigolard :

– Surtout, donnez rien à mon neveu ! Ce bal, depuis que je suis mort, c'est *zéro plus zéro* ! En plus, je suis pas d'accord avec ce qu'il dit depuis tout à l'heure. Mon docteur à moi m'a *très* bien soigné, j'en veux pas du tout à la médecine ! Alors que, au contraire, mes voisins rue de Birague c'étaient des gens qui m'ont causé que des ennuis quand cet imbécile de Sam qui vous parle jouait dans la cour avec les autres gosses *dans le temps*. Je peux pas dire plus : ce que mon neveu vous a raconté en général depuis tout à l'heure, c'était juste pour s'aérer la bouche ! Et j'ai l'expérience des discours, croyez-moi, vu mon métier !

Bon, on avait déjà eu des apparitions dans le quartier, mais ça faisait toujours quelque chose ! Là on se garda de dire mot, car c'était Sam Farblonge, le neveu, qui avait été désavoué.

Personne d'autre. Et si le président était hésitant, de son côté, le docteur était plutôt content de ne pas avoir à émettre un possible contre-diagnostic concernant quelqu'un qui avait été soigné par un confrère.

– Peut-être pouvez-vous nous rappeler quelle était votre profession, de votre vivant? demanda-t-il alors à l'oncle pour parler d'autre chose, tout en se rattachant à ce qu'on *venait* d'entendre.

– Ambassadeur ! J'étais ambassadeur, répondit aussitôt l'oncle avec un formidable sourire.

– C'est pas vrai, s'énerva Sam Farblonge, il était représentant d'une usine de bonneterie !

– Exactement ce que j'ai dit, grogna l'oncle. Ambassadeur d'une grande usine ! Pourquoi tu me contredis, imbécile ?

Le docteur hocha la tête. Bien fait pour le questionneur ! Mais l'oncle n'en avait pas fini. Il en avait vu et entendu tellement dans son métier, poursuivit-il, qu'on n'allait pas venir aujourd'hui lui faire la leçon, question histoires de *dans le temps* ! Il y était en personne «*dans le temps*». Il savait donc mieux que son neveu, qui parlait pour s'écouter lui-même, ce qu'était la vie à l'époque, non? Il n'avait pas toujours été mort, non? Et d'abord, à *son* avis, personne n'avait jamais eu mal au ventre en mangeant un gâteau accompagné d'un verre de schnaps ! Lui, en tout cas, était mort d'une crise cardiaque, pas d'une crise d'estomac ! Et quand il buvait une goutte de son vivant, c'était du quatre-vingt-seize degrés, pas autre chose. Alors, ce n'était pas un petit schnaps d'à peine quarante degrés – comme il avait vu sur une bouteille dans la pièce à côté – qui allait faire du mal à qui que ce soit !

Mais, se ravisa l'oncle, il ne voulait pas se mêler de tout ça, et d'ailleurs il était passé pour donner un bonsoir, il préférait s'en aller maintenant.

L'appréciation sur les gâteaux avait rasséréné la femme du président et les considérations diététiques avaient juste un peu étonné le docteur. Un peu, pas plus. Seul Sam Farblonge n'était pas content. Décidément, on ne pouvait pas compter sur la famille ! Jamais, lui, n'avait eu à affronter des contestations de ce genre. Jamais !

Et pourquoi ? Pour rien ! Il n'avait manqué de respect à personne. Au contraire. Est-ce que ce n'était pas plutôt une histoire de jalousie parce qu'il avait pris la place de l'oncle dans la société qui s'occupait du bal et que c'était mieux organisé maintenant ? Ou autre chose ?

Il ne le sut pas car en même temps que tout le monde il constata que l'oncle était reparti par le plafond. À l'improviste. Comme il était venu. On ne voyait plus que ses chaussures qui dépassaient encore à côté du lustre. Puis, plus rien.

Sam Farblonge ne perdit pas de temps :

– On a tous été victimes de ce qu'on appelle une hallucination collective, décréta-t-il. Ça arrive en médecine, hein, docteur ?

Le conférencier était de nouveau gêné. Scientifiquement, il aurait fallu sans doute répondre dans un sens positif. Humainement, il avait envie de dire que non. Il choisit une voie moyenne et se contenta de tousser.

Ce fut le président qui eut le mot de la fin.

– Bon, assez parlé, allons le prendre ce schnaps ! lança-t-il avant de se tourner gentiment vers Farblonge : « Vous voyez : la vie c'est toujours autre chose. »

Les Aventures du jeune homme de la rue Beautreillis

Markus Klimatt passait chaque semaine vérifier si la vendeuse du jeune Fruchtbar – le petit-fils d'Alec Fruchtbar – avait toujours en rayon les *Aventures du jeune homme de la rue Beautreillis*. De qui, l'ouvrage ? De Markus Klimatt bien sûr ! Généralement, il demandait d'abord des nouvelles du grand-père (dans un hospice), puis du père (retiré dans le Midi) mais jamais de la famille du libraire lui-même, car il considérait que ce petit Fruchtbar-là était un mal marié. Il préférait ne pas aborder un sujet aussi intime avec une employée.

On pouvait se demander d'ailleurs en quoi la vie conjugale du petit-fils Fruchtbar le concernait ? La réponse était simple : la femme du jeune Fruchtbar effrayait Klimatt ! Jamais un mot d'encouragement quand il entrait dans la librairie et que par hasard elle était là. C'était plutôt : « Qu'est-ce que vous voulez encore, vous ? »

Cela étant, pour son livre il ne prenait pas de grands risques. Ici on avait en réserve des exemplaires des *Aventures du jeune homme de la rue Beautreillis*, puisque ce qui restait de l'édition originale – c'est-à-dire quatre-vingt-dix pour cent du tirage quarante ans après la parution – était conservé à la cave.

Le vieux Fruchtbar avait été en effet à l'origine de la publication. Simple libraire de quartier, il avait eu après la guerre le désir de devenir éditeur. Pour *un* ouvrage. Celui de son ami. C'était ainsi qu'il avait fait imprimer à ses frais le livre de Markus Klimatt, ouvrier casquettier et écrivain yiddish autodidacte.

À l'époque, Markus avait commencé seul à se traduire en français, puis le texte avait été remanié par un traducteur professionnel qui aurait tout à fait ruiné Alec Fruchtbar s'il l'avait écouté ; or, tout en aimant sincèrement la littérature vivante, le libraire avait su ramener à la raison ce traducteur exalté qui aurait eu tendance à confondre les tirages d'un Markus Klimatt avec ceux d'un Sholem Aleichem ou d'un Victor Hugo. Il avait donc été un mécène, mais un mécène à risques limités, et ce, heureusement pour ses successeurs !

Restait qu'une fois ou deux par an (surtout avant l'époque où Alec Fruchtbar avait été placé par sa famille dans une maison de retraite) il y avait quelqu'un du quartier qui entrait prendre un livre. Ça assurait un petit roulement en plus de l'exemplaire que Fruchtbar achetait lui-même lorsqu'il avait un cadeau à faire.

En tout cas, c'était ainsi que les choses avaient continué jusqu'à aujourd'hui, en dépit des métamorphoses de la librairie Fruchtbar.

Maintenant, c'était moderne, et puis surtout, il y avait la vendeuse ! Toujours joliment habillée, Jacqueline... Toujours souriante. Elle n'avait pas connu la grande époque Fruchtbar, même pas celle du fils qui avait succédé à Alec car elle avait été engagée par le petit-fils – celui qui n'était jamais là et qui avait une femme qui faisait peur à Markus –, mais elle, c'était vraiment une gentille demoiselle.

Quand la patronne n'était pas là – souvent, heureusement ! – et après avoir demandé des nouvelles de son livre, Markus commençait donc à parler d'un peu de tout avec la vendeuse. Ces derniers temps, le sujet préféré c'était le fiancé qu'elle lui avait présenté un jour qu'ils s'étaient trouvés tous les trois ensemble à la librairie.

A priori, il n'aimait pas les fiancés des vendeuses des autres ! Mais là, il avait rencontré quelqu'un de bien puisque ce garçon avait fait l'effort, dès que Jacqueline lui avait expliqué *qui* était Markus Klimatt, d'acheter un exemplaire des *Aventures* et de se le faire dédicacer sur place. Une preuve d'intelligence et de goût rare dans la jeune génération ! Un type bien !

Ainsi, cet après-midi, Markus Klimatt était de nouveau en train de donner des conseils de future vie conjugale à Jacqueline, quand la femme du patron entra. Klimatt s'arrêta net dans sa démonstration. Par politesse il dit bonjour, mais Jenny Fruchtbar lui répondit à peine.

Elle enleva son manteau.

– Ne perdez pas votre temps, dit-elle à la vendeuse. Mon mari voulait qu'on refasse la vitrine. On va s'y mettre.

– Pourquoi changer ? objecta Markus à qui on ne demandait rien. De toute façon, il y a pas un seul livre nouveau aujourd'hui qui mérite qu'on le montre !

La femme du petit-fils Fruchtbar lui lança un regard attristé. Puis, elle l'ignora.

Il y avait deux solutions pour lui : ou il saluait et partait. Ou il restait.

Il resta.

Après tout, la femme d'un garçon de si bonne famille était peut-être quand même un être humain quand on causait un peu avec elle… il essaya. Elle ne réagit pas. Il parla de tout ce qu'il trouva à dire – pas grand-chose en réalité, en dehors d'un presque beau temps pour un mois de février. Elle s'adressait seulement à la vendeuse qui s'était mise à sortir, un à un, les ouvrages de la vitrine. Elle citait des noms ou des titres qu'il ne connaissait pas et que Jaqueline devait retirer, pour mettre d'autres livres tout aussi inconnus de lui à la place.

Au bout de quelques instants, personne, même Jacqueline, ne s'intéressa plus à Markus Klimatt et il renonça.

Il s'apprêtait à dire au revoir et à partir, vaincu, quand la porte s'ouvrit. Et qui entra brusquement ? Le jeune homme de la rue Beautreillis lui-même !

Le propre héros de son livre pénétrait dans la librairie avec soixante-trois ans de moins !

C'était un garçon roux d'environ dix-sept ans, qui venait de débarquer de la gare du Nord à ce qu'il expliqua tout de suite en yiddish. Il ajouta en dépliant un papier chiffonné :

– Dites, c'est ici qu'habite un homme qui s'appelle Fruchtbar ? On m'a donné son adresse pour un bonjour de sa mère et de son père. Et de sa sœur aussi. Et aussi de son cousin Motek…

Il soupira, déçu de ne pas avoir de réponse.

– Froid, il fait pas trop à Paris… lança-t-il encore, pour parler.

Klimatt approuva de la tête. Ce jeune homme disait exactement ce qu'il fallait !

La vendeuse et la patronne, elles, étaient toujours occupées à sortir des livres, et à en mettre d'autres dans la vitrine. Jacqueline répétait les noms et les titres au fur et à mesure que la patronne les énumérait. Elles ne prêtaient aucune attention au garçon, comme s'il n'était pas là. C'était vraiment pas gentil, estima Klimatt. Par simple politesse, Markus commença donc à parler au jeune rouquin, et en yiddish puisque l'autre ne savait pas encore le français :

– Et comment ça va ?

– Comme ci comme ça.

– Alors, c'est ici et comme ça que les histoires de ta vie, que tu vas raconter plus tard, commencent ?

– Ici, elles *continuent*, rectifia le garçon. Les histoires commencent quand je suis né.

Klimatt fit une grimace.

– Pour tout le monde, ça commence quand on est né et ça continue après ! Est-ce qu'il y a là de quoi faire un livre ?

– Vous êtes un ami du lion ou un ami du dompteur ? soupira le garçon. Est-ce qu'on vous demande une critique sur vous-même ? Je suis là, j'arrive à dix-sept ans à Paris IVe arrondissement et je vais y rester jusqu'à l'âge de quatre-vingts ans ! Toujours à travailler dans la casquette rue Beautreillis parce que c'était mon destin et que j'aimais bien. À part, bien sûr, après ma retraite et aussi pendant les années, pendant la guerre, où moi j'ai un peu aidé – avec un fusil à la place d'une machine à coudre.

Klimatt ne fit pas attention à la dernière phrase. C'étaient celles d'avant qui l'énervaient.

– Pourquoi tu dis : jusqu'à *quatre-vingts ans* ? Pourquoi tu dis pas jusqu'à quatre-vingt-*deux* ans, jusqu'à quatre-vingt-*dix* ans ? Peut-être même jusqu'à *cent vingt ans* ? Pourquoi tu restes jusqu'à quatre-vingts ans seulement ? Toi et moi, on a encore du courage, non ?

Le garçon ne répondit pas et disparut.

Les deux femmes n'avaient rien vu, rien entendu.

Quand Klimatt se décida à pousser la porte, la patronne ne lui dit pas au revoir, seule Jacqueline la vendeuse lui fit un clin d'œil.

Il sortit et repassa songeur devant la vitrine. Cette vitrine où depuis longtemps on n'exposait plus les *Aventures du jeune homme de la rue Beautreillis* !

Du coup, en dépassant la librairie, Markus Klimatt se dit que les livres avec des histoires vécues par des gens sans importance comme lui ne semblaient pas avoir d'avenir aujourd'hui.

Pourtant l'optimisme revint très vite, dès qu'il eut dépassé le coin de la rue.

En traversant, il pensa qu'il n'était pas tout à fait mort et que, pour se le prouver, il ferait peut-être bien de chercher d'autres vitrines, d'autres librairies, d'autres quartiers…

Pour la vie qu'il avait encore en lui.

Pour la suite en somme – et jamais pour la fin – des *Aventures du jeune homme de la rue Beautreillis*.

Les Perspectives de M. Quaderstein

Leib Quaderstein avait des enfants si turbulents qu'il valait mieux cacher ses propres gosses dans une armoire blindée quand on l'invitait en famille. En ce qui concernait sa femme, si vous étiez, vous, invité en retour chez lui, elle pouvait vous servir un gâteau maison vous enlevant le goût de la pâtisserie folklorique pendant une année entière. Voilà pour les satisfactions familiales.

Quant à sa situation actuelle, c'était celle de quelqu'un sur le point d'être à moitié expulsé par le propriétaire de sa quincaillerie parce qu'il ne pouvait plus payer le loyer, et à moitié en faillite pour la même raison. Pour le reste, c'était un homme qui depuis la fin de la guerre avait passé à peu près autant de nuits, malade, à l'hôpital que dans son lit, à dormir. Pourtant, de son point de vue, tout allait toujours bien, tout allait magnifiquement.

Tout en somme était formidable pour ce petit bonhomme dont personne n'aurait supporté même une seconde de partager les douleurs et soucis.

Mais on le respectait dans le quartier, ne fût-ce que parce qu'il passait pas mal de temps à la bibliothèque place des Vosges. On savait qu'il y lisait des livres pas du tout genre roman. Des livres compliqués, des livres indéchiffrables pour quelqu'un comme lui qui n'avait même pas son certificat d'études.

Et puis, qu'est-ce qu'on pouvait opposer à son refus de voir la réalité ? Qu'est-ce qu'on pouvait faire pour lui démontrer qu'il aurait dû pleurer jour et nuit ?

Le traiter de voyeur de vie trop en rose ? D'optimiste pas remboursé par les assurances sociales ? Ça n'aurait servi à rien. Il était comme il était.

Or ce matin de décembre à sept heures et demie, alors qu'il tournait déjà sa manivelle sous la neige tourbillonnante pour remonter le rideau de fer de ce qui aurait pu être une sorte de quincaillerie si ç'avait été tenu par quelqu'un d'autre, ce matin il aperçut Lina Hupschik, la fille de Mme Hupschik.

Lina se tenait à côté de sa *Domaine* Renault en stationnement le long du trottoir d'en face. Lina, une jeune marchande foraine mariée l'année dernière, mais qui, à cause de ses problèmes d'*indépendance* d'après ce qu'on racontait dans le quartier, était retournée habiter chez sa mère, trois rues plus loin.

En la voyant garée ici en face de chez lui, Quaderstein se dit qu'elle n'avait pas trouvé de place devant chez sa mère hier et il fut content de pouvoir la saluer. Elle aussi fréquentait de temps en temps la bibliothèque place des Vosges. Aussi, dès qu'il capta son regard, il lui fit un signe de la main pour qu'elle s'approche.

Lina Hupschik accepta, résignée. Elle pensait plus à dégager la neige de son pare-brise qu'à autre chose. Elle avait des tas de choses à faire ce matin et elle se serait bien passée d'une conversation. Surtout dans un vent qui l'obligeait à retenir le col de son anorak auquel elle venait de s'apercevoir qu'il manquait un bouton. Enfin, puisque c'était une conversation de politesse, elle ne pouvait pas se défiler. Elle traversa la rue pour serrer la main qu'on lui tendait d'avance.

Quaderstein avait abandonné sa manivelle à mi-course et il n'aurait pas été plus heureux sur une plage en été qu'ici à la lumière du bec de gaz encore allumé, sur un trottoir enneigé dans ce froid terrible de décembre. Avec sa casquette rejetée en arrière, sa blouse grise sur son col roulé, son mégot de cigarette éteint à la bouche, il était ravi, vraiment ravi.

– Dites, commença-t-il, si vous en avez besoin, je peux donner un coup à votre moteur avec ma batterie. Ma voiture est un peu en panne question vieillesse et moteur, juste à côté de la vôtre, mais la batterie est bonne. Je peux au moins aider, si ça part pas chez vous.

– C'est gentil, mais on va voir, on va voir d'abord, le remercia Lina.

– Parce que, tint à expliquer Quaderstein, parce que même si j'ai une vieille bagnole qui marche plus tellement que par solidarité avec moi depuis que je suis sorti de l'hôpital, j'ai demandé à mon garage qu'ils mettent au point quelque chose de spécial, question batterie. Ça peut aider les autres. Vous connaissez le garage là-bas, rue Payenne ?

Elle fit signe que oui, mais son garage à elle, c'était vers la gare de Lyon, dans un autre quartier. Bon, là-dessus *à un de ces jours, monsieur*

Quaderstein... Elle ne voyait pas où il voulait en venir. Parler, sans doute. Simplement parler. Mais pas de chance ce matin, elle avait des soucis. Son mari qui ne se décidait toujours pas à accepter un divorce. Sa mère, une veuve qui faisait des problèmes pour tout. Plus un fournisseur à voir en début de matinée en banlieue, puis à onze heures un cours à la Sorbonne (elle avait recommencé des études tout en continuant les marchés ; c'était aussi pour ça qu'elle avait quitté son mari). Beaucoup de choses sur ses épaules... Beaucoup.

Mais Quaderstein, lui, avait le temps. À propos, continua-t-il, souriant, à propos puisqu'il était au courant comme tout le monde, comment se passait le divorce ? Parce que en cas de besoin pour aider le mari (pour elle, il n'y avait pas de problème, elle allait gagner à tous les coups !), pour le mari donc il pouvait conseiller un avocat, un as. Elle pourrait donner son adresse au mari qui allait sûrement perdre son divorce, le pauvre, vu qu'*elle* méritait de gagner !

Elle ne répondit pas et sourit à son tour de cette manière de présenter les choses. Après tout, il lui remontait le moral à sa façon, mais elle n'avait pas le temps de traîner. Elle fit un signe d'au revoir de la main qui ne retenait pas le col de son anorak et retraversa la rue.

Quaderstein la regarda enlever la neige sur l'auto. Il avait envie de traverser à son tour pour aider, mais il vit arriver sur son trottoir à lui, en bout de rue, Mme Hupschik, la mère de Lina. Elle clopinait, emmitouflée dans une sorte de gabardine d'homme avec un peignoir qui dépassait et des chaussons aux pieds. Il courut lui dire bonjour.

Mme Hupschik s'excusa, elle était pressée, elle avait quelque chose à dire à sa fille *à qui on venait de téléphoner*. Quaderstein la suivit en demandant qui avait appelé pour qu'elle sorte en plein froid, pas assez habillée et en chaussons. *Le mari de Lina*, expliqua Mme Hupschik machinalement.

Ils traversèrent la rue ensemble à hauteur de la Renault et sa fille s'étonna de voir sa mère habillée comme ça, accompagnée de Quaderstein.

Sa mère qui expliqua que le mari venait d'appeler au téléphone pour une rencontre à deux heures chez elle à la maison. *Pour essayer de tout régler*, précisa Mme Hupschik à bout de souffle.

Lina hocha la tête, c'était une bonne nouvelle de son point de vue. Mais ce fut Quaderstein qui intervint, goguenard :

– Rappelez-vous, pour votre mari, j'ai ce qu'il faut s'il faut l'aider à se défendre contre vous.

– Pourquoi vous parlez comme ça ? s'étonna Mme Hupschik.

– Et pourquoi pas ? s'étonna Quaderstein. Vous êtes des amies à moi, toutes les deux, non ? Pourquoi je laisserais tomber le mari de la fille d'amis à moi ?

La mère de Lina renonça à comprendre ou à répliquer. D'autant que la fille rigolait et lui demandait de rentrer à la maison, elle n'était pas assez habillée sous cette neige. Lina Hupschik précisa ensuite qu'elle allait à ses rendez-vous, mais qu'elle serait de retour à temps pour la discussion avec le mari. Que sa mère, en attendant, retourne vite à la maison, il faisait froid. Au revoir…

Elle ouvrit la portière de la *Domaine* et s'installa. Le moteur partit du premier coup et en quelques tours de volant, la voiture gagna le milieu de la rue. Sa mère et Quaderstein avaient, eux, retraversé vers la quincaillerie. Quaderstein la soutenait.

– Bon, constata-t-il épanoui dès qu'ils furent sur son trottoir, bon, la Renault de votre fille a pas peur de la neige et tout va s'arranger pour son divorce, c'est sûr. Seulement, vous, habillée comme vous êtes, vous allez attraper trois tuberculoses et une bronchite si vous prenez pas quelque chose de chaud.

– Vous avez raison, répondit Mme Hupschik. Je retourne chez moi.

– Attendez une seconde, rigola Quaderstein, j'ouvre, je vais vous faire un thé.

Il ne lui laissa pas le temps de répliquer, releva le reste du rideau de fer, déverrouilla la porte vitrée et poussa Mme Hupschik à l'intérieur. Il tourna quelque chose au compteur et un néon s'alluma au bout de quelques secondes.

– Avec mon réchaud, annonça Quaderstein, vous aurez pas le temps de penser à vos pieds froids que l'eau sera déjà bouillie. Dites, demanda-t-il sur un autre ton, vous lisez un peu la philosophie des fois ? Comme votre fille et moi ?

Mme Hupschik secoua la tête. Elle allait demander pourquoi il disait ça, mais Quaderstein poursuivit tout seul :

– … Moi, ça m'intéresse ! Par exemple, je suis toujours content de voir comme Henri Bergson – si vous connaissez –, quelqu'un qui est mort maintenant mais qui avait sûrement de quoi vivre, je suis toujours content de voir que des gens comme ça ont pris du temps à écrire pour tout le monde ce qu'ils avaient trouvé tout seuls ! Même chose, dans un autre genre, pour Karl Marx qui lui – en plus – avait des misères, un peu comme moi, à la maison, question finances. Personne les obligeait à perdre du temps à raconter leurs idées pour des livres que tout le monde peut trouver aujourd'hui à la bibliothèque, non ? C'est formidable de leur part, non ?

Le réchaud fonctionnait bien. On entendait déjà l'eau bouillir dans la casserole. Quaderstein sortit deux verres d'une étagère, y mit des cuillères et des sachets tirés d'on ne savait où. Le thé était prêt.

Mme Hupschik ne voyait toujours pas où il avait voulu en venir (sauf pour ce Karl Marx qui était le patron de plusieurs communistes dans le quartier, c'était connu).

– Oui, reprit Quaderstein, *pourquoi* ces gens-là n'ont pas gardé seulement pour eux leurs idées ? Je trouve vraiment bien de leur part qu'ils aient décidé de les raconter à tout le monde.

– Pourquoi vous me dites ça ? s'étonna Mme Hupschik.

Il ne répondit pas tout de suite et tendit le verre de thé qu'il avait préparé. Il lui glissa un sucre dans la main avant de reprendre :

– Pourquoi je vous dis ça ? D'abord pour que vous pensiez à autre chose qu'à vos pieds froids. Ensuite, parce que c'est, comme qui dirait, un peu mon rôle à moi aussi dans le quartier d'avoir des idées à part. Mais moi, j'ai des idées que je raconte seulement pour faire plaisir aux gens qui trouvent qu'ils ont, eux, des problèmes.

Mme Hupschik fit une grimace sans prendre parti. Elle était dépassée.

– Buvez votre thé, ça va refroidir ! lui ordonna Quaderstein qui donna l'exemple.

Elle mit à son tour le sucre dans sa bouche et trempa ses lèvres dans le thé. Ça faisait du bien, un peu de chaud. Beaucoup de bien même. Du coup, comme elle se sentait mieux, elle alla jusqu'à murmurer :

– J'ai pas compris exactement vos histoires avec les idées, mais c'est gentil de votre part. Vous pensez *vraiment* tout ce que vous dites ?

Vous, soupira-t-elle attendrie, vous qui avez tellement de problèmes avec… votre propriétaire, ajouta-t-elle en regrettant aussitôt ce qu'elle venait de dire.

– Buvez votre thé, madame Hupschik, rigola Quaderstein. Vous faites pas de soucis. Tout va bien, et tout ira toujours bien pour moi. Vous savez, je sais pas si c'est moi qui l'ai inventé ou si je l'ai lu quelque part à la bibliothèque, mais essayer d'être aussi sympathique qu'on peut, c'est ce qui reste quand il faut rien oublier.

Quelques instants dans les siècles d'un artiste

Dans le périodique reçu le 13 décembre de cette année-là, le pavé publicitaire annonçait bien le récital donné par Mendel-Leib Lichtblik. L'insertion se terminait même par « *Venez nombreux !* », mais le spectacle avait déjà eu lieu le 12 décembre, avec trois spectateurs.

Ainsi, à moins d'être destinée à des gens possédant une machine à remonter le temps en état de marche, cette annonce dont le retard de parution provenait d'une hésitation de dernière heure de Mme Lichtblik pour le dépôt de l'annonce, cette annonce n'avait certainement pas pu servir à grand-chose. Pas à grand-chose…

Dans le même ordre de soucis, quelques jours après, Lichtblik avait participé à un jeu de cartes en famille, or les seuls mots gentils que lui avait dits la cousine auprès de laquelle il était placé, avaient été :

– Tiens, on dit que tu chantes des fois, dans des salles, devant du monde… Il faudra m'envoyer une invitation, je donnerai la place à ma vendeuse qui va écouter n'importe quoi du moment que c'est gratuit.

Et on était passé à autre chose…

Mendel-Leib Lichtblik l'avait d'autant plus mal pris que depuis qu'il se produisait en public – quelque chose comme huit ans ou neuf ans après la guerre maintenant –, il pensait avoir acquis une petite notoriété dans les IIIe, IVe X^e^ et XIe arrondissements. Or tout ce qu'on trouvait à lui raconter, c'était des « *on dit* », des « *des fois* » et des « *n'importe quoi* »…

Il avait ainsi de bonnes raisons de se poser des questions d'avenir en rentrant chez lui avec sa femme, rue Sainte-Anastase, ce fameux soir, vers onze heures et demie…

Là-dessus, un prodige se produisit comme cela pouvait arriver pour tout artiste. Que ce fût juste avant minuit ou à n'importe quelle autre heure.

En peu de mots voici ce qui se passa : à un certain moment, alors qu'il inspectait vaguement le garde-manger pour y chercher quelque chose à grignoter pendant que madame ouvrait le vieux canapé-lit dans la pièce à côté, un smoking de lumière commença à pousser au-dessus de ses vêtements de ville. De petites étoiles hollywoodiennes se mirent ensuite à scintiller un peu partout sur les murs de la cuisine, et un orchestre symphonique de trente-cinq personnes vint s'installer dans la pièce carrelée.

Tant de personnes pouvaient-elles tenir dans une si petite pièce ?

Eh oui, cela faisait partie du prodige !

Il y avait donc peu de place, mais les musiciens se tassèrent pour l'occasion, et Mendel-Leib Lichtblik devint en un instant ce qu'il avait toujours voulu être : *une immense star, une formidable star !*

Les cameramen de reportage cinématographique du monde entier – peut-être même ceux déjà de la télévision française ! –, tous étaient là aussi, chez lui, cette nuit. Et si une marmite de bouillon qui restait de la veille fut renversée par quelqu'un dans la précipitation de l'installation, ce fut le seul incident. Un très grand spectacle international allait commencer ici.

Était-ce une hallucination ? Un rêve ?

Pas du tout ! Tout était vrai, bouillon compris.

Et comment était-ce possible ?

« *C'était* » possible ! Il ne fallait pas chercher d'explication. Même sa femme, attirée par le bruit dans la cuisine, prit gentiment les choses quand elle vit ce qui se passait. Elle regretta le bouillon renversé par un musicien trop pressé, mais « c'était la rançon de la gloire », lui déclara le chef d'orchestre qui parlait joliment le français en anglais.

En résumé, la réussite de Mendel-Leib Lichtblik ne surprit pas plus que ça, et ce fut comme d'habitude en matière de réussite : certains jugèrent qu'ils avaient toujours su que Lichtblik était un vrai génie... D'autres, jaloux, susurrèrent qu'il était anormal que quelqu'un prononçant un yiddish de *Galitzianer* sans éducation ait pu avoir si vite un tel succès artistique... Quelques autres dirent...

Ils dirent !

Quelle importance ce qu'ils dirent... Mendel-Leib Lichtblik – né à quelques kilomètres de Cracovie et revivant un peu à Paris –, Mendel-Leib Lichtblik était devenu à quarante-trois ans l'un des plus grands artistes de l'Europe d'après-guerre !

Les engagements se succédaient maintenant – Paris, Londres, Brunoy, New York... –, et tout le monde voulait assister aux galas qu'il honorait de sa présence. Même sa propre famille avait admis qu'il n'avait pas été («*peut-être pas*», disait toutefois sa cousine, «*peut-être pas*»), qu'il n'avait donc peut-être pas été le pas grand-chose que l'on avait cru.

*

Un autre que Lichtblik aurait pu avoir la tête tournée par le succès.

Lui, pas trop. C'était un homme pur : il croyait aux prodiges.

Ainsi quand on lui apprit qu'il était question de donner son nom simultanément à un nouveau paquebot en Méditerranée et à un train rapide pour Trouville, il n'accepta *que* pour le train, par modestie.

Ce fut dans ces conditions que dans ces années-là le fameux autorail «*Mendel-Leib Lichtblik – 1re classe uniquement*» fut affrété – avec musique et cuisine traditionnelles yiddish – au départ de la gare Saint-Lazare à Paris jusqu'à Trouville.

Et encore n'admit-il que l'on donnât son nom à l'autorail en question que pour faire plaisir à l'un de ses oncles qui n'avait jamais voyagé jusqu'ici qu'en troisième classe, avec pour tout repas un sandwich au *pickelfleisch* enveloppé dans une feuille du journal *Unzer Wort*.

Ce fut peut-être d'ailleurs le seul bonheur de sa vie d'après-guerre à cet oncle-là d'apprendre qu'en fonction de la célébrité d'un membre de sa famille, il pourrait emprunter maintenant un autorail de luxe portant le propre nom d'un neveu né dans le même village que lui. Ce, avec une réduction de 25 % sur le tarif habituel, y compris pour les repas (*ici, une précision historique toutefois* : c'était une réduction réservée aux membres de la famille Lichtblik, obtenue sur présentation d'une copie du livret de famille certifiée conforme par la mairie du lieu de destination, avec bénéfice de la réduction dès le premier aller-retour – tarif valable uniformément chaque week-end, en période hors congés scolaires, avec pour seule contrainte une réservation précise plus de deux cent soixante-cinq jours avant le départ et hors sens de la marche du train... Une réduction, en somme, avec les contraintes normales liées à une réduction tarifaire, mais une réduction tout de même...).

Telle était aussi, et pas la moindre, l'une des conséquences de l'immense renommée de Mendel-Leib Lichtblik.

Or le temps passa.

D'autres artistes bénéficièrent à leur tour de prodiges divers. Et lentement, lentement, lentement, son nom, tout en restant dans les mémoires des anciens, prit progressivement les couleurs du passé.

La silhouette que l'on avait tant vue sur les affiches s'estompa doucement.

Les années s'étaient succédé, et bientôt, sauf pour quelques rares admirateurs en partance périodique pour le cimetière de Bagneux, le nom de Mendel-Leib Lichtblik ne signifia plus grand-chose.

Mendel-Leib n'en conçut aucune amertume. Il était devenu célèbre sans savoir pourquoi ; il avait retrouvé l'anonymat, sans comprendre autrement.

Ce fut ainsi qu'arriva ce soir d'hiver…

Il était locataire aujourd'hui d'un appartement avec une cuisine moderne et il bénéficiait, au lieu du canapé-lit de ses débuts, d'un excellent mobilier de chambre à coucher en placage acajou acheté faubourg Saint-Antoine au temps de sa gloire.

En pyjama à l'ancienne mode, il lavait donc son dentier comme chaque soir avant d'aller dormir, quand un violoniste traditionnel – ou quelqu'un ressemblant à un violoniste traditionnel, à cause de la barbe et du violon sous la barbe –, quand ce violoniste tomba du plafond de sa salle de bains.

Comme pour lui tenir compagnie, en somme !

Lichtblik en avait vu d'autres et il fut à peine étonné.

Il rinça d'abord son dentier, avant de le remettre dans sa bouche et de demander *à qui il avait l'honneur*, comme on disait en français.

Le violoniste secoua deux fois la tête.

Comment, rigola-t-il, *on ne savait pas* ?

Rien du tout, protesta Lichtblik. Il ne savait rien du tout !

Le musicien posa son violon dans la baignoire et fronça les sourcils. *Alors*, susurra-t-il toujours en français, *on* continuait à *ne pas* dire leur destin aux artistes ? Il faudrait qu'*on* change tout ça un jour, décidément…

Il faudrait qu'on change *quoi* ? demanda Lichtblik, cette fois en yiddish.

Tout peut-être, mais est-ce que c'était le moment de faire la révolution… non ! répondit le violoniste.

Il se mit alors à expliquer, en yiddish lui aussi, qu'il y avait toujours un certain nombre d'artistes chargés de perpétuer la tradition.

Des sortes d'artistes modèles. Pendant un temps, ici, ç'avait été Mendel-Leib Lichtblik. Et maintenant, il y en avait d'autres.

Mais – le rassura-t-il – on gardait un très bon souvenir de lui. La preuve : on lui envoyait dans sa salle de bains le meilleur violoniste n'ayant jamais appris la musique, pour lui tenir compagnie pendant qu'il lavait son dentier ! *Mieux, est-ce qu'on pouvait faire, non ?*

– Arrêtez avec votre histoire, soupira Mendel-Leib Lichtblik, qu'est-ce que j'ai gagné à tout ça, *moi* ?

– Qu'est-ce que tu as gagné ? rigola le musicien du plafond. Rien du tout. À part ma compagnie aujourd'hui ! Et aussi, j'oubliais : ta chambre à coucher époque faubourg Saint-Antoine 1953-1956, grande qualité, inusable ! Dans cent ans, à New York, les milliardaires s'arracheront les chambres à coucher et les salles à manger du faubourg Saint-Antoine, du temps qu'il y avait encore un vrai faubourg Saint-Antoine dans le monde ! Bon... tu me crois pas ? Tu as peut-être tort. Mais, plus sérieusement, tu sais bien que dans *notre métier à nous*, on ne peut *jamais* se mettre à son compte définitivement. On travaille seulement *pour continuer la tradition*. C'est tout. Et c'est déjà magnifique, *la tradition* ! Excuse-moi, on m'appelle chez quelqu'un d'autre…

Le musicien avait repris son violon dans la baignoire et était reparti par le plafond.

Comme il était venu.

En rigolant et en secouant la tête.

Mendel-Leib Lichtblik enleva alors son dentier pour de bon, avant de le laisser tomber dans un verre d'eau et de pousser la porte pour gagner sa chambre. Il s'apprêtait à aller se coucher contrarié mais content quand même d'avoir vécu ce qu'il avait vécu comme il l'avait vécu. C'est-à-dire à *sa façon*… À sa façon comment ? « *Extraordinaire* », non ? C'était ça le mot !

« *Extraordinaire, extraordinaire…* », murmura-t-il alors en rejoignant à petits pas sa femme qui criait pour demander pourquoi il avait passé tant de temps à occuper une pièce qui était une salle de bains, pas une salle d'attente.

Il ne répondit pas.

Extraordinaire ! sourit-il seulement en levant les bras. *Extraordinaire*, quel joli mot pour expliquer la vie d'un artiste des siècles passés et à venir.

Extra-ordinaire comme toute la musique yiddish finalement !

Les Affiches de notre ami

Quand il apprenait qu'un personnage connu était mort subitement, il se demandait combien de rendez-vous pour le jour *d'après* l'enterrement, le type en question avait inscrits sur son agenda. C'était comme cela seulement – seulement comme cela ! –, en lisant le journal, que Simon Austatnik se posait la question de la condition humaine. Entre-temps, il avait ses propres rendez-vous à assurer.

Enfin presque des rendez-vous, puisque n'étant ni ministre ni célèbre mais marchand ambulant de reproductions décoratives pour entrées, couloirs, dessus de buffet et pour tout ce qu'on voulait, il préférait arriver à l'improviste.

Et soit on lui faisait bon accueil, soit – quand les gens étaient pressés – on le mettait à la porte. Cela étant, c'était un homme serein qui, expulsé un matin, pouvait revenir l'après-midi avec le même carton à dessins plein de reproductions diverses à tirage illimité.

Le tout au choix : un peu genre sous-bois, un peu genre campagne anglaise, un peu genre campagne française, un peu genre folklore côté Chagall, un peu genre Picasso, un peu genre animaux, ou même un peu genre tout à fait autrement.

Comme on voulait.

Il avait autant de variétés à proposer que de clients à visiter. Bien sûr, dans son stock, il réservait un tout petit peu plus d'œuvres genre folklore, mais son goût à lui le portait vers les seuls paysages.

Ceux par exemple où il pouvait d'un doigt décrire et donner des noms comme : rhododendrons, azalées, hibiscus… Plus, pour les fleurs ou les plantes dont le nom lui échappait, quelque chose à moitié en yiddish, à moitié en latin, ou à moitié en ce qui lui passait par la tête, mais qui sonnait bien à l'oreille.

Et ça plaisait. Ça plaisait !

Il aurait mérité le prix Nobel des explications sur affiches ! venait d'ailleurs de rigoler Max Oderoder, le patron de la boutique dans laquelle il était entré dix minutes auparavant ce mardi matin.

Un Max Oderoder qui n'arrêtait pas de lui taper sur l'épaule, content d'on ne savait quoi. Le plus grand des scientifiques, avait-il repris hilare, le plus grand des scientifiques n'aurait pas su décrire aussi bien ce qu'il y avait de précis à regarder sur ce qu'il s'obstinait à appeler *les affiches de son ami Simon.*

D'ailleurs le dernier paysage montré, venait-il de décider, celui avec des arbres foncés, ce paysage d'avant la nuit que Simon avait déposé sur le comptoir, celui-là irait très bien avec la couleur des doubles rideaux dans le salon des Oderoder. Ça ferait un cadeau impeccable à l'occasion de l'anniversaire de Mme Oderoder. Que son ami Simon apporte le tout *encadré* avant vendredi matin.

Bravo ! Parfait ! n'arrêtait donc pas de répéter Max Oderoder qui précisa encore que, grâce à Simon, il n'aurait pas à se déplacer pour un cadeau jusqu'à l'Hôtel de Ville. Que ça tombait très bien pour une fois cette visite à l'improviste.

Bravo ! Splendide ! Parfait ! s'était-il exclamé de nouveau. Enfin, tout aurait été encore plus parfait si une madame Oderoder que son mari n'attendait pas maintenant, une madame Oderoder avec un cabas à commissions à la main, si cette dame n'avait surgi derrière eux en gloussant gaiement après un simple coup d'œil :

– Quelle horreur ces arbres noirs ! ça me donne des cauchemars rien que de regarder ! Quelle horreur…

Contrarié, son mari ne lui avait pas demandé en quoi l'automne en soirée ne plaisait pas. Du coup il avait cessé de rire, et avait annulé la commande. Désolé.

On en était là et Simon hésitait à partir. Après tout madame n'avait pas vu ce qu'il avait d'autre dans son carton à dessins ; elle avait filé au fond du magasin sans qu'il pense à la retenir par le bras.

En plus, le facteur venait d'entrer à l'instant avec du courrier et Max Oderoder s'était mis à parler avec lui, abandonnant Simon.

Que faire ? Aller ailleurs ? Rattraper madame ? Il se décida pour la dernière alternative, rangea la gravure – effectivement sombre – dans le carton qu'il traîna sur le carrelage vers le fond du magasin.

Mme Oderoder venait d'y déposer son sac avec les courses sur une chaise et elle l'accueillit en lui demandant de ses nouvelles. En lui parlant de la météo du jour. En lui disant que pendant les commissions tout à l'heure rue Saint-Antoine, elle avait vu qu'il y avait un bon film, sûrement romantique, avec Jean Gabin et Michèle Morgan au cinéma Saint-Paul. En ajoutant ceci, en ajoutant cela...

Elle avait envie de parler de la vie semblait-il, mais lui était un professionnel. Aussi il l'interrompit pour annoncer que *ce qu'il* avait présenté au mari et qui ne plaisait pas n'était *qu'un* échantillon. Il avait plein d'autres choses à proposer.

Madame était bonne pâte. *Quoi*? demanda-t-elle.

Il fouilla dans le carton : le bois de Vincennes en automne, est-ce que ça pouvait intéresser?

Non. Parce que quand le dimanche elle allait prendre un café au plateau de Gravelles *avec des amies* – vu que son mari ne s'occupait jamais d'elle le dimanche –, elle ne regardait même plus le paysage sur place tellement elle en avait marre. Elle n'avait pas besoin du bois de Vincennes sur le mur. Elle s'excusait, ça ne lui rappelait que les mauvais souvenirs du dimanche.

Bon. D'accord. Il y avait d'autres choix possibles. Regarder, en prenant son temps, on pouvait toujours, n'est-ce pas ?

Madame hésita : est-ce que, par exemple, il n'aurait pas plutôt une carte routière à afficher, genre région de Trouville ? Une jolie carte en couleurs pour décider Max à faire un peu de tourisme en famille l'été prochain, au lieu de passer son temps à seulement jouer au rami avec ses copains sans rien visiter avec elle.

– Madame, remarqua Simon un peu vexé, moi je fais l'artistique, pas les cartes Michelin !

Mme Oderoder le regarda gentiment, en précisant qu'elle n'avait pas voulu l'offenser. Pour réparer, elle lui proposa de montrer encore autre chose puisqu'il était déjà là. Il ne se le fit pas répéter et retira quatre grands cartons qu'il étala par terre.

Tout ça avait dû attirer l'attention du patron et du facteur qui se rapprochèrent. Le facteur se planta au-dessus d'une des reproductions. La plus vive, celle un peu genre Chagall. Il hocha la tête, intéressé.

– Ça, c'est joli ! s'exclama-t-il. La cabane rouge – on dirait un bistro, à mon avis – avec la neige blanche sur le toit, les travailleurs barbus autour avec leurs balais, et les violons rouges dans le ciel, tout ça, ça fait vraiment *russe*. Ah, la Russie, *ça* c'est le seul pays qui avance, pas seulement pour les artistes, mais pour le monde entier !

Il avait prononcé la dernière phrase avec ferveur.

– Vous trouvez ? murmura Mme Oderoder.

– Et comment !

Le facteur porta la main à son front pour saluer. Il fit aussi un signe à Simon qui redressait quelque chose sur le sol, et s'en alla.

Simon avait vaguement rendu le salut avec un peu de retard et au point où on en était, il décida de sortir deux ou trois autres reproductions qu'il étala plus loin.

Des reproductions, genre chasses anglaises, cette fois. Il se mit aussitôt à décrire les scènes, prairie après prairie, haie après haie, personnage à cheval après personnage à cheval. Il souffla le nom de plusieurs haies anglaises ainsi que celui des animaux, sauf – il s'excusait, sur la droite –, sauf un chien, un renard ou le derrière d'un cheval au loin. Sûrement le derrière d'un cheval, en réfléchissant bien, parce que…

Il avait donné beaucoup de précisions. Très longuement. Trop, et ça avait fait changer d'humeur un Max Oderoder qui lui reprocha de boucher le passage avec tout ça par terre et ses explications anglaises qui n'intéressaient personne ici.

Mais le patron se radoucit d'un coup et annonça que *si madame* lui faisait l'honneur de changer d'avis – et même sans surprise pour l'anniversaire ! –, si elle changeait d'avis donc, il était prêt à prendre *une* affiche. N'importe laquelle ! Qu'elle choisisse. Mais *vite*.

Ça tombait bien. Le facteur avait dû éveiller quelque chose ; comme si elle sortait d'une rêverie, madame hocha la tête et pointa son doigt sur la première image.

– C'est celle-là que je préfère aussi, soupira-t-elle. Il a raison, le facteur ! Sauf que ça me rappelle pas la Russie à moi, mais la Pologne quand j'étais jeune. Avec la fantaisie en plus. Oui, oui, c'est une réussite question couleurs... D'accord, reprit-elle, je veux bien qu'on prenne celle-là pour la chambre à coucher, à côté de l'armoire. Là où il y a le dégât des eaux des voisins.

– Moi, ça me dit rien ! grogna Oderoder. Pourquoi pas une forêt naturelle, genre un peu foncée ? Ou alors autre chose... Montrez-nous ce que vous avez !

Simon avait de la patience ; il sortit au hasard une nouvelle reproduction qu'il déposa au bout de celles déjà étalées sur le carrelage comme s'il s'agissait de construire une marelle.

Il découvrit ainsi en même temps que les Oderoder la nouveauté. Cette fois, c'était du moderne-moderne, difficile à commenter. Il se lança cependant dans des histoires de rectangles dans des losanges et encore de losanges dans des rectangles. Oderoder fronça les sourcils.

– Laissez-nous tranquilles avec ça, il y a rien à comprendre là-dedans !

– Toi, lui reprocha madame, toi tu veux seulement des arbres noirs, c'est ton idée, hein ?

– Exactement, ça me plaît, les forêts ! Ça me rappelle quand j'étais dans les bois avec les copains et même pas avec un fusil pour deux, mais avec un moral pour dix.

Il fit signe à Simon.

– Après tout, arrangez-vous avec elle ! C'est *son* anniversaire. Qu'elle prenne ce qu'elle veut.

C'était sans réplique et d'ailleurs ce fut à ce moment que madame baissa le doigt pour montrer ce que tout le monde avait ignoré jusqu'ici : une sorte de rue entre deux maisons en bois. Des cabanes pauvres dans vraisemblablement la Pologne des années trente. Avec au milieu de la route un petit jeune homme qui aurait pu avoir un peu plus de barbe, mais qui était encore trop jeune pour avoir une vraie barbe.

Elle commenta elle-même tout ça, comme si elle revenait sur un autre temps, le doigt toujours pointé vers le sol.

Quoi ? Qu'est-ce qu'elle racontait ? s'énerva Max Oderoder après avoir jeté un coup d'œil par terre. Qu'est-ce qu'il lui prenait de s'intéresser à quelque chose de pas coloré, de défraîchi ! Une sorte de photo jaunie agrandie que Simon n'avait pas pensé commenter, mais qui le fit réagir en professionnel.

– *Peut-être*, avança-t-il en s'adressant à madame, peut-être que c'est intéressant en effet. Vous voulez que je montre mieux ?

– Oui, oui, continua Mme Oderoder. C'est tout à fait la photo de Romek, mon voisin plus jeune à l'époque. *Il ressemble* à cette photographie ! Il ressemble tellement que c'est lui, c'est sûr ! Et dire que c'était la seule affiche que j'avais pas bien vue ! Vous vous rendez compte ? Est-ce qu'on ne doit pas se rappeler quelqu'un de si gentil, de si timide, quelqu'un qui vous a peut-être aimée sans oser le dire jamais ?

–Tu déraillles avec tes rêves de jeune fille ! se fâcha Max Oderoder.

Il se ravisa en s'adressant à Simon :

– Enfin, si ma femme se prend pour la Michèle Morgan d'un voisin muet d'un temps qui n'existe plus, revenez l'année prochaine pour son autre anniversaire !

Madame haussa les épaules, puis se mit à bouder.

Bon, la séquence *présentation* était terminée, jugea Simon.

De toute façon, il avait perdu beaucoup de temps avec ces deux-là.

Aussi se mit-il à ramasser ce qu'il y avait par terre et replaça le tout dans son carton à dessins pendant que madame retournait au fond du magasin et que Max Oderoder triomphait.

– Je préfère libérer mon ami Simon ! cria-t-il à sa femme. Vous voyez, ajouta-t-il pour Simon, vous étiez, sans vous en rendre compte, chez le mari d'une femme jamais heureuse ! Une femme qui veut pas que je joue aux cartes, une femme qui s'ennuie le dimanche, une femme qui rêve les yeux ouverts en semaine. Une femme que je peux pas comprendre en plus, paraît-il. Plaignez-moi, et excusez tout le monde, ce sera pour une autre fois, hein ?

Simon hocha la tête. Il comprenait. Il comprenait très bien. Au revoir à tout le monde et à un de ces jours.

Son carton à dessins refermé, il sortit en respirant à pleins poumons l'air de la rue.

Pas de problème. Pas de problème…

Il entrerait autre part, vingt ou cinquante mètres plus loin.

Pas de problème !

Il revenait ainsi à sa ligne de conduite habituelle : éviter de se poser des questions sur les gens, leurs raisons, leurs rêves, leur avenir ou sur le temps qui leur restait à vivre. Le monde de la décoration de tous les jours, admit-il avant de franchir la porte vitrée d'une nouvelle boutique à visiter, ce monde restait de toute façon imprévisible.

Mais, au moins, avec un grand choix qui le rendait, *lui*, encore plus conscient de l'importance des magnifiques métiers comme le sien.

Les textes suivants* ont fait l'objet d'une publication initiale dans un périodique, par ordre chronologique :

« Les Aventures du jeune homme de la rue Beautreillis », dans la revue littéraire *Le Moule à gaufres* – « Histoires de France », n° 13, septembre 1995.

« Aventure dans le IVe arrondissement », dans *Actualité juive,* n° 647, 2 mars 2000.

« Quelques instants dans les siècles d'un artiste », dans *L'Arche,* n° 523, septembre 2001.

« Un conseil de Balzac », dans *Actualité juive,* n° 807, 31 juillet 2003.

« Les Perspectives de M. Quaderstein », dans *L'Arche,* n° 553, mars 2004.

« Entre le cinéma Saint-Sabin et le cinéma Saint-Paul » (sous le titre « Entre les cinémas Saint-Sabin et Saint-Paul, sur le terrain du destin en général »), dans la revue de littérature *Théodore Balmoral,* n° 46/47, printemps-été 2004.

« Scientifique, rue de Birague », dans *Actualité juive,* supplément du n° 910, 17 novembre 2005.

« Les Affiches de notre ami », dans la revue de littérature *Théodore Balmoral,* n° 51, hiver 2005-2006.

---

*Ils ont été revus par l'auteur pour le présent ensemble qui constituera donc seul leur état définitif. Enfin, si l'on peut dire. À propos de *définitif,* on renvoie à ce que l'on rappelait dans d'autres ouvrages : n'est *définitif* que ce qui se trouve au cimetière de Bagneux ou d'ailleurs. *Vive la vie !* (N.d.A.)

Table

Achevé d'imprimer
le 4 octobre 2007
par l'Imprimerie Floch, à Mayenne
(Mayenne)

Deuxième tirage

Dépôt légal : 2e trimestre 2007
(69351)
Imprimé en France